Seminario Bíblico Vida Nueva

Los ángeles caídos

La rebelión y pecado de los ángeles, origen de Lucifer, el diluvio luciferino, los Nephilim, el dragón, entre otros temas de gran interés.

Puedes conocer otros libros que hemos publicados aquí en:
Seminario Vida Nueva

DEDICATORIA

Dedicamos este trabajo a nuestro buen Dios, por Su amor y paciencia. A nuestro Señor Jesucristo, bendito Salvador; y al Espíritu Santo maravilloso Consolador.

AGRADECIMIENTOS

A todos los miembros del equipo detrás de este trabajo. A los hermanos que con sus palabras y oraciones nos apoyan. Gracias a Dios, quien nos fortalece y ayuda siempre.

Contenido

Introducción

La rebelión de los ángeles dirigidos por Lucifer provocó un caos universal, estos fueron arrojados de la presencia de Dios, y esto tuvo unas consecuencias de alcance universal.

Este libro expone temas como el origen de los ángeles, su rebelión y pecado, su caída, nombres y características, el inframundo y los ángeles caídos, los gigantes o Nephilim, entre otros temas de gran interés.

En este texto se expone también el destierro de los ángeles rebeldes del cielo, los ángeles caídos prisioneros en el Hades, y también su futuro eterno en el lago de fuego. En este texto se expone el Hades, sus secciones y castigos.

El tema "Los ángeles caídos" se aborda desde la perspectiva cristiana, y también se considera la información hallada en diversos textos religiosos judíos, como el Libro de Enoc y otros, además de otras fuentes culturales de la humanidad.

El Libro de Enoc, por ejemplo, narra la rebelión de doscientos ángeles que pecaron ante el Señor, al tomar por mujeres a hijas de los hombres. Ellos divulgaron muchos secretos del cielo que no estaban permitidos enseñar a los hombres, y esto generó violencia, maldad y pecado en extremo.

Este libro no sólo expone acerca de este tema verdades bíblicas, sino que también utiliza la información de otros textos, por lo cual se generan otras incógnitas y preguntas que despertarán en el estudioso de la Biblia una mayor investigación.

Es este tema "Los ángeles caídos", es un asunto de gran interés, y acerca del cual como cristianos, debemos crecer en la revelación y conocimiento de Dios, de su carácter y de su diseño.

Los temas que se desarrollan en este libro son:

1) Origen y pecado de los ángeles caídos.
2) La rebelión de Lucifer.
3) Los ángeles caídos y el origen de los demonios.
4) ¿Existió un diluvio luciferino?
5) Ángeles caídos, nombres, funciones, características.
6) El inframundo y los ángeles caídos.
7) Los Nephilim o gigantes de la antigüedad.
8) El dragón y los ángeles caídos.
9) Actividad de los ángeles en los tiempos apocalípticos.
10) El principio de la vida y de la guerra espiritual.

Capítulo 1: Origen y pecado de los ángeles caídos.

a) Todos los ángeles inicialmente fueron creados.

En el Antiguo Testamento de las Sagradas Escrituras, la palabra "ángel" se traduce del término hebreo "malak", que además significa: mensajero, enviado. En el Nuevo Testamento "ángel" se traduce del termino griego "angelos", que tiene los mismos significados que la palabra hebrea "malak", es decir: mensajero y enviado.

En la Biblia, de manera abundante, en más de 34 libros de la Escritura, se expone la realidad de los ángeles, su naturaleza, personalidad, funciones, autoridad, poder, jerarquía, entra otras cosas; y es muy interesante su activa participación en la historia de la humanidad.

Textos que nos enseñan la creación de los ángeles, son por ejemplo:

Colosenses 1:16 "Porque en él *(Cristo)* fueron creadas todas las cosas, las que hay en los cielos y las que hay en la tierra, visibles e invisibles; sean tronos, sean dominios, sean principados, sean potestades; todo fue creado por medio de él y para él".

Y en el Libro de Job se nos enseña que fueron creados antes que nuestro planeta:

"¿Dónde estabas tú cuando yo fundaba la tierra? Házmelo saber, si tienes inteligencia. ¿Quién ordenó sus medidas, si lo sabes? ¿O quien extendió sobre ella cordel? ¿Sobre qué están fundadas sus bases? ¿O quién puso su piedra angular, cuando alababan todas las estrellas del alba, y se regocijaban todos los hijos de Dios?"

Y por supuesto, en aquel momento de creación no existía el ser humano; entonces, aquellos "hijos de Dios" eran los ángeles, así son llamados en el capítulo 1:6 de este libro de Job.

Solo Dios es eterno y Todopoderoso, y en un momento antes de la creación de la tierra, él creó a los ángeles, en su diversidad de funciones y formas, hablamos de los serafines, querubines, arcángeles, ángeles y demás seres espirituales.

b) La rebelión de Satanás y los ángeles caídos.

La Biblia enseña que en la eternidad pasada sólo existía Dios y un día decidió crear a los ángeles. Inicialmente todos estos seres estaban en perfecta armonía con Dios y con su voluntad. Sólo había una voluntad, la de Dios.

Después de un tiempo no determinado ni conocido, uno de los ángeles, un querubín, con gran influencia sobre los demás, se levantó contra Dios, su rebelión produjo una voluntad independiente de la de Dios, y pecaminosa por tanto.

Isaías 14 y Ezequiel 28 revelan la caída de este ser angelical; él deseó más poder, autoridad e importancia sobre todos, él deseaba tomar la gloria de Dios, él lo quería todo. Pero, fue expulsado del cielo y muchos ángeles cayeron con él. Este querubín rebelde perdió todo lo que había recibido, y será castigado por la eternidad.

Te invito a leer este tema que tratamos y ampliamos más adelante en el capítulo siguiente.

Los ángeles que cayeron con satanás cuando fue expulsado del cielo, se convirtieron en sus siervos, por eso la Biblia enseña por ejemplo, en Apocalipsis 12:9 "Y fue lanzado fuera el gran dragón, la serpiente antigua, que se llama diablo y Satanás, el cual engaña al mundo entero; fue arrojado a la tierra, y sus ángeles fueron arrojados con él".

c) Ángeles caídos pecaron al tomar para sí mujeres de la tierra.

Debemos destacar un pecado adicional, y que fue el que seguramente provocó que un grupo de ángeles en especial, fuera encarcelado en las mazmorras del Hades.

Una buena parte de intérpretes y comentaristas de la Escritura coinciden en que una cantidad de ángeles tomaron por esposas a mujeres de la tierra, según Génesis 6:1-4

"Aconteció que cuando comenzaron los hombres a multiplicarse sobre la faz de la tierra, y les nacieron hijas, que viendo los hijos de Dios que las hijas de los hombres eran hermosas, tomaron para sí mujeres, escogiendo entre todas.

Y dijo Jehová: No contenderá mi espíritu con el hombre para siempre, porque ciertamente él es carne; mas serán sus días ciento veinte años. Había gigantes en la tierra en aquellos días, y también después que se llegaron los hijos de Dios a las hijas de los hombres, y les engendraron hijos. Estos fueron los valientes que desde la antigüedad fueron varones de renombre".

Como podemos leer, la naturaleza del pecado cometido por los ángeles caídos, parece estar expuesta en aquí Génesis 6:2 "Viendo los hijos de Dios que las hijas de los hombres eran hermosas, tomaron para sí mujeres, escogiendo entre todas".

En el Libro de Enoc, libro religioso judío, el cual no figura en la Biblia occidental, pero considerado por algunas iglesias orientales como inspirado por Dios, narra lo siguiente al respecto, en su primera sección llamada "Los Vigilantes" en el capítulo seis:

“Sucedió que andando el tiempo, que los hijos de los hombres se multiplicaron sobre la faz de la tierra, y entonces les nacieron hermosas hijas. En aquel tiempo los Vigilantes, ángeles hijos del cielo, las contemplaron y las desearon, y ante esto, entre ellos hablaron diciendo: “Vamos a ver las hermosas hijas de los hombres, escojamos mujeres y engendremos de ellas hijos”.

Esto es muy interesante, pues es un texto similar al que encontramos en el libro de Génesis 6:1-4; la Biblia nos enseña que como resultado de aquella unión nacieron gigantes.

Respecto al texto bíblico en mención, hay quienes consideran que “los hijos de Dios” son los hijos de la línea piadosa de Set, y otros consideran que se trata de seres celestiales, ángeles, y hay pasajes bíblicos que permiten afirmar esto último, como son Judas 14-15 y 2 Pedro 2:4.

Judas 14-15 “De estos también profetizo Enoc, séptimo desde Adán, diciendo: He aquí, vino el Señor con sus santas decenas de millares, para hacer juicio contra todos, y dejar convictos a todos los impíos de todas sus obras impías que han hecho impíamente, y de todas las cosas duras que los pecadores impíos han hablado contra él”.

2 Pedro 2:4 “Porque si Dios no perdonó a los ángeles que pecaron, sino que arrojándolos al infierno los entregó a prisiones de oscuridad, para ser reservados al juicio”.

Debemos tener en cuenta, que antiguamente muchos pueblos creían que la raza de gigantes habría nacido de la unión antinatural de seres sobrenaturales, con mujeres terrenales.

Debemos reconocer también que la Biblia aquí nos presenta un texto con aspectos de difícil interpretación, el objetivo es afirmar una vez más, la incontenible expansión del pecado y la maldad en el mundo, así como su corrupción, por lo cual el juicio era inminente, hablamos del diluvio que posteriormente vino sobre la tierra.

Considerando:

Los hechos narrados en el capítulo seis de Génesis,
Los resultados de los mismos (quiero decir: gigantes y valientes),
Lo que nos muestra la Biblia en 2 Pedro 2:4 y Judas 14-16,
Además de la precisa traducción de las palabras originales hebreas,

Llegamos a la conclusión de que algunos seres del grupo celestial (ángeles) realmente tomaron para sí como esposas, mujeres de la tierra, y seguramente utilizaron su poder y fuerza para seducirlas. De aquella unión nacieron seres especiales (gigantes y varones de renombre), pero como esto no estaba de acuerdo con la voluntad de Dios, vino el juicio del diluvio en los días de Noé.

d) Los ángeles caídos y lo que enseñaron a los seres humanos.

Debemos tener en cuenta, que los ángeles fueron creados por Dios y estaban al servicio de él. Se rebelaron contra el Señor y sus leyes, por lo que fueron desterrados del cielo, y un grupo de fueron encerrados en el abismo o prisiones eternas.

El Libro de Enoc enseña que estos ángeles vinieron y tomaron mujeres de las hijas de los hombres. Pero, además enseñaron los secretos de las plantas, de los astros, de la magia, entre otras muchas cosas, llevando a la humanidad al pecado, por lo cual Dios se vio en la necesidad de enviar un juicio en los días de Noé, y fue a través del diluvio.

A través de la Biblia se nos enseña que el líder o general de estos ángeles caídos que se rebelaron en el cielo fue Lucifer, ellos se levantaron contra la autoridad de Dios y fueron expulsados, arrojados del cielo.

Según el Libro de Enoc, hubo un grupo de doscientos ángeles, de los cuales "Shemihaza" era el jefe principal, a estos se les llama los Vigilantes. Como resultado de la unión con las mujeres de la tierra, hijas de los hombres, les nacieron unos hijos, llamados "Nephilim" (estos hijos son mencionados en la Biblia).

e) El castigo de Dios a los ángeles rebeldes.

La palabra de Dios nos habla a nosotros de "ángeles que no guardaron su dignidad" y abandonaron su propia habitación, y están reservados en cadenas eternas, bajo oscuridad, para el juicio del gran y final día, según Judas versículo seis.

De igual manera, la Biblia también nos enseña al respecto diciendo que Dios no perdonó a los ángeles que pecaron (2 Pedro 2:4) y por tanto no pueden beneficiarse de la obra salvadora y redentora de nuestro Señor Jesucristo.

Como podemos ver, estos ángeles conscientemente pecaron, y son plenamente responsables de sus acciones. Ellos apostataron de la fe de una manera soberbia, orgullosa y autosuficiente.

De manera diferente, la raza de los seres humanos se identifica con Adán de modo inconsciente, y por eso, la oportunidad de perdón y salvación por la perfecta obra del Señor Jesús.

Respecto a la unión entre ángeles y mujeres humanas, es muy interesante, ver que en culturas antiguas, como es el caso de la mitología griega y romana, y también de otros pueblos, se halla registro de narraciones de uniones de dioses con mujeres de la tierra, y como resultado de aquella unión nacieron semidioses y varones de gran renombre en la tierra.

Debemos tener en cuenta también aquí, que en las Sagradas Escrituras cuando se habla del juicio a los falsos maestros; el castigo Sodoma y Gomorra y el castigo sobre aquellos que tomaron mujeres de las hijas de los hombres, se pone como ejemplo; juicio que se dio por la indulgencia a la carne y por el menosprecio a la autoridad, como podemos leer textualmente:

2 Pedro 2:4-10 "Dios no perdonó a los ángeles que pecaron... no perdonó al mundo antiguo, sino que salvó a Noé... condenó a la destrucción a Sodoma y Gomorra... aquellos que siguiendo la carne, andan en concupiscencia e inmundicia y desprecian el señorío, y no temen hablar mal contra las potestades superiores".

Judas 6-7 "Y a los ángeles que no guardaron su dignidad... los ha guardado bajo oscuridad, en prisiones eternas... como

Sodoma y Gomorra, las cuales de la misma manera que aquellos, habiendo fornicado e ido en pos de vicios contra naturaleza... sufrieron el castigo eterno".

La Biblia nos presenta además de los ángeles que están encarcelados y encadenados en prisiones, a otros ángeles de maldad que aparecen relacionados con Satanás; por ejemplo cuando el Libro de Apocalipsis cita: "El gran dragón y sus ángeles" que luchan contra Miguel y sus ángeles en Apocalipsis 12:9.

Al parecer en la actualidad, hay entonces dos grupos de ángeles caídos, unos que están encarcelados para el día del juicio final, y otros que están activos, subordinados y al servicio de Satanás.

En la Biblia se nos revelan varios de estos ángeles caídos, sus nombres, sus actividades, su naturaleza, entre otras cosas; otras fuentes de textos religiosos judíos, como el Libro de Enoc presentan y describen varios de estos ángeles caídos; te invito a leer esta información en el capítulo cinco: "Ángeles caídos, nombres, funciones, características".

Capítulo 2: La rebelión de Lucifer.

El origen de Lucifer y su caída:

A lo largo de la historia y en la diversidad de pueblos, culturas y creencias religiosas, hallamos múltiples conceptos de un ser malvado o varios de ellos; en el judaísmo el diablo es conocido como un ángel caído o demonio, y en otras culturas se considera un dios del mal, que fue expulsado del cielo.

Es por eso que desde el punto de vista histórico, en diversos contextos y culturas se le distingue con nombres diversos: Satanás, Lucifer, Belcebú, Belial, entre otros.

Algunos enseñan que el nombre "diablo" viene de un término utilizado por lenguas antiguas que dieron origen a las lenguas indoeuropeas, el término es "deiwos" que quiere decir: Resplandeciente. En el hinduismo, el diablo es llamado Lama, dios de la muerte y guardián del inframundo.

El origen de Lucifer según las Sagradas Escrituras:

El nombre "Lucifer" viene del versículo doce del Libro de Isaías capítulo catorce: "¡Cómo caíste del cielo, oh Lucero, hijo de la mañana!".

El nombre "Lucero" se traduce del término hebreo "jeilel", que además quiere decir: estrella de la mañana. La raíz hebrea de esta palabra, significa: brillo, resplandor. Indicando la luz inicial que portaba, y con la cual Dios lo creó. Por eso también "Lucifer" significa: portador de luz.

Lucifer, es aquel ángel caído, creado con gran belleza, inteligencia y resplandor, y que debido a su soberbia y altivez, perdió sus privilegios y su posición en los cielos y se convirtió en diablo y Satanás, siendo arrojado junto con el ejército de ángeles rebeldes que engañó, y todos se convirtieron en ángeles caídos, seres de maldad y perversión.

La primera vez que se utiliza este nombre (Lucero o Lucifer), es en un texto del profeta Isaías (Isaías 14:12-14).

Satanás y diablo según la Biblia:

Básicamente, el nombre "Satanás" es otro título para hacer referencia al mismo ángel caído. Desde el término original bíblico hebreo (y aún desde el griego) traduce: oponente, enemigo, adversario, acusador (la raíz de la palabra hebrea significa: atacar, acusar, calumniar).

En el Nuevo Testamento, la palabra "diablo" se traduce desde el término griego "diabolos" que además quiere decir: calumniador, amante de los chismes maliciosos, falso acusador (la raíz de la palabra indica a uno que ataca arrojando calumnias, haciendo que otro sea acusado o condenado).

A lo largo de la Biblia, podemos hallar diversos nombres con los cuales se le señala, por ejemplo: "Y prendió al dragón, al serpiente antigua, que es el diablo y Satanás, y lo ató por mil años", Apocalipsis 20:2.

Respecto al comienzo u origen de este ángel caído, Satanás, podemos decir que fue inicialmente una hermosa creación de Dios, como un querubín ungido, resplandeciente, y con grandes privilegios en el cielo, pero este ser se corrompió en algún momento no definido o conocido, pero antes de la creación de la tierra.

A través de la Biblia se nos revela mucha información acerca de la caída de Satanás. En este caso el profeta Ezequiel declara esta profecía en un comienzo para el rey de Tiro, pero pronto el profeta nos lleva por el Espíritu a ver la caída de aquel querubín que se rebeló en cierto momento y se convirtió en el diablo y satanás.

Nos dice el libro de Ezequiel 28:11-13 "Vino a mí palabra de Jehová diciendo: Hijo de hombre, levanta endechas sobre el rey de Tiro, y dile: Así ha dicho Jehová el Señor: Tú eras el sello de la perfección, lleno de sabiduría, y acabado en hermosura. En Edén, en el huerto de Dios estuviste; de toda piedra preciosa era tu vestidura... esmeralda y oro; los primores de tus tamboriles y flautas estuvieron dispuestos para el día de tu creación".

Debemos observar al detalle y considerar varios aspectos de este pasaje bíblico:

1) Desde los comienzos de la iglesia cristiana, éste texto se ha interpretado como una alusión a la caída de Satanás.

2) Este "querubín ungido" como nos dice la Biblia, fue creado en un estado de perfección, el versículo número doce expresa: "sello de la perfección", expresión que también quiere decir: sello ejemplar, modelo a seguir, plano.

3) También nos dice el texto que él estuvo en el Edén, según el versículo trece. Su vestido construido en oro y con nueve piedras preciosas. Éstas son nueve de las doce piedras que también estaban en el vestido del sumo sacerdote levítico, de igual manera el oro.

En algunas traducciones bíblicas encontramos que vierten la última parte como otros accesorios que estaban preparados para el día de su creación (aretes, pendientes, engastes, joyas, adornos labrados, y no traducen éstos términos como instrumentos musicales, es decir, no como "flautas y tamboriles"). De todos modos, se destacan cosas muy especiales y valiosas.

4) Como nos enseña la Escritura Sagrada, Lucero era un querubín, con un alto nivel de autoridad y privilegio, como nos dice el texto en Ezequiel 28:14 "Tú, querubín grande, protector, yo te puse en el santo monte de Dios, allí estuviste; y te paseabas en medio de las piedras de fuego".

Entonces, concluimos que fue un querubín recto e íntegro desde el día de su creación hasta que cayó en la maldad, iniquidad o injusticia (no podemos saber el tiempo que esto se llevó). Precisamente, la Biblia declara en Ezequiel 28:15 "Perfecto eras en todos tus caminos desde el día que fuiste creado, hasta que se halló en ti maldad".

5) Podemos ver o considerar un poco más de cerca las razones o los factores de la caída de Satanás, en el versículo dieciséis, que declara: "A causa de la multitud de tus contrataciones fuiste lleno de iniquidad, y pecaste; por lo que yo te eché del monte de Dios".

Es interesante, tener en cuenta aquí que la versión Biblia de las Américas traduce "multitud de contrataciones" por "abundancia de tu comercio".

6) También nos enseña la Biblia en el versículo diecisiete de Ezequiel veintiocho que el corazón de este querubín ungido se enalteció, es decir, se llenó de soberbia, altivez y tuvo planes ambiciosos, deseando el mismo trono de su Creador, sólo quería el primer lugar:

"Se enalteció tu corazón a causa de tu hermosura, corrompiste tu sabiduría a causa de tu esplendor; yo te arrojaré por tierra, delante de los reyes te pondré para que miren en ti", según leemos en el Libro de Ezequiel 28:16.

Veamos ahora al detalle la caída de Satanás desde el texto del profeta Isaías:

Isaías 14:12-15 "¡Cómo caíste del cielo, oh Lucero, hijo de la mañana! Cortado fuiste por tierra, tú que debilitabas a las naciones. Tú que decías en tu corazón: Subiré al cielo; en lo alto, junto a las estrellas de Dios, levantaré mi trono, y me sentaré, a los lados del norte; sobre las alturas de las nubes subiré, y seré semejante al Altísimo. Más tú derribado eres hasta el Seol, a los lados del abismo".

Considerando el contexto de este pasaje bíblico, debemos decir que el profeta Isaías inicialmente declara esta palabra para el rey de Babilonia; pero luego, nos revela verdades mucho más allá. La iglesia cristiana ve aquí, y ha interpretado siempre en este texto, una revelación del Espíritu Santo sobre la caída de Satanás.

Vemos, inicialmente que el pasaje nos describe el nombre inicial de Satanás: "Lucero", y le añade "hijo de la mañana" o "hijo de la aurora". Como ya lo dijimos anteriormente, desde el término hebreo "Lucero" quiere decir: brillante, resplandeciente (la Versión de la Biblia de Las Américas tiene al margen la expresión: "el reluciente").

La ambición de su corazón y su fuerte ego, los podemos ver en los versículos trece y catorce del capítulo catorce de Isaías, donde se nos dice:

"Tú que decías en tu corazón: Subiré al cielo; en lo alto, junto a las estrellas de Dios, levantaré mi trono, y en el monte del testimonio me sentaré, a los lados del norte; sobre las alturas de las nubes subiré, y seré semejante al Altísimo".

La última frase es muy importante y reveladora: "seré semejante al Altísimo", pues precisamente el Espíritu Santo nos quiere enseñar lo que se escondía en el corazón de Satanás, pues la palabra "Altísimo" se traduce del término hebreo "Elión", palabra que además quiere decir: Supremo, alto, superior, el más alto.

Podemos entonces concluir que, a este querubín no le interesaba la labor pastoral del Señor, ni su amor por su pueblo, ni el cuidado hacia sus hijos, ni nada parecido, él sólo deseaba ser el más alto, el superior, él quería ser el supremo, el más importante en poder y rango.

Debemos tener en cuenta que es esto precisamente, es lo que usa para llegar a gobernar el corazón humano, pues por lo general, el corazón humano desea los primeros lugares, los más importantes, cada uno busca lo suyo propio, por lo general el ego gobierna al ser humano. Es muy importante, tener presente aquí las palabras del Señor Jesucristo:

"No hablaré ya mucho con vosotros; porque viene el príncipe de este mundo, y él nada tiene en mí" Juan 14:30.

El diablo no tenía ningún derecho, ni ninguna semilla de maldad en el corazón de Jesús, no podía encontrar en él vestigio alguno de orgullo o ego. Cristo estaba completamente rendido a la perfecta voluntad del Padre celestial. Por eso, podemos decir, que la humildad de corazón es una fortaleza contra el diablo.

Finalmente el diablo fue lanzado o expulsado del cielo, y con él los demás ángeles que se rebelaron. Aquellos seres creados por Dios, se hicieron a sí mismos seres de maldad y corrupción.

Fueron además juzgados y condenados con el castigo eterno, sentencia que se llevará a cabo en los tiempos finales, su lugar es el lago de fuego eterno, por eso Jesús dijo en el Evangelio de Mateo 25:41 "Apartaos de mí, malditos, al fuego eterno preparado para el diablo y sus ángeles".

Capítulo 3: Los ángeles caídos y el origen de los demonios.

Podemos dar inicio a este capítulo preguntándonos ¿Quiénes son los demonios? nos dice Lucas 4:33-36 que había en una sinagoga un hombre con un espíritu de demonio inmundo, el cual pedía a Jesús que no lo destruyera.

Debemos tener en cuenta que la palabra "destrucción" aquí, no significa fraccionar en pedazos hasta desaparecer, la palabra griega es "apolumi" que significa además: perder, irse, desaparecer. Entonces, se habla de perder el poder, influencia o gobierno sobre aquella persona.

Este texto bíblico nos enseña que los demonios son seres espirituales existentes con una personalidad propia.

Era una creencia común entre los Judíos del primer siglo que los demonios eran los espíritus de los malvados, que entraban en los hombres. Muchas de aquellas creencias o principios relativos a los demonios han continuado hasta nuestros días.

¿Quiénes son los demonios o espíritus inmundos?

Otra línea de interpretación enseña que los demonios son espíritus incorpóreos de habitantes que poblaron la tierra antes de la existencia de Adán.

Otra interpretación que encontramos es que los demonios son la descendencia de los ángeles que se casaron con las hijas de los hombres (Según nos dice el libro de Génesis 6:4).

Y otra línea de interpretación enseña que los demonios son los ángeles caídos que cayeron con Satanás cuando fue expulsado del cielo.

¿Qué nos dicen al respecto las Sagradas Escrituras?

Para estas líneas de interpretación es muy importante, considerar y reflexionar al detalle lo que expone la Biblia:

La primera línea de interpretación nos dice que los demonios son espíritus sin cuerpos de habitantes de una tierra pre-adánica.

Es muy importante, tener en cuenta que no existe evidencia de tal periodo o época. Más bien la evidencia bíblica nos dice que Adán es claramente "el primer hombre" (1 Corintios 15:45), así que no hubo habitantes en la tierra antes de Adán, él fue el primer hombre sobre la faz de la tierra.

La segunda línea de interpretación expone que los demonios son los gigantes nacidos de ángeles y mujeres antes del diluvio (Génesis 6:2-4).

Respecto a esta interpretación, el Señor Jesús dijo claramente que los ángeles son seres que no se casan (Mateo 22:30 "Porque en la resurrección ni se casarán ni se darán en casamiento, sino serán como los ángeles de Dios en el cielo").

Por eso, algunos intérpretes de la Biblia enseñan que en el Libro de Génesis 6:1-4, los hijos de Dios hacen referencia a los descendientes de Set y los hijos de los hombres es una referencia a los descendientes de Caín.

Otros enseñan o exponen que los demonios son espíritus de hombres inicuos que han muerto. Pero, esto difícilmente puede ser, ya que según Lucas 16:19-31, todos los espíritus de los muertos impíos van al Hades (lugar de los muertos), y de allí no pueden salir.

Considerando todas estas exposiciones, lo más razonable es concluir que son los ángeles caídos. Teniendo presente que, hay dos grupos de ángeles caídos:

1) Los que están encarcelados en prisiones de oscuridad para el juicio del gran día, según nos enseña Judas 1:6.

2) Los que están activos y subordinados al servicio de Satanás. Su estructura y jerarquía podemos verla expuesta en Efesios 6:12.

De los argumentos antes expuesto, podemos decir que los primeros puntos de vista, no tienen fundamento claro en las Escrituras. La Biblia no expresa tales explicaciones de manera cierta y clara.

De manera que lo más seguro es que los demonios o espíritus inmundos sean ángeles caídos que fueron autorizados para obrar durante un período de tiempo, y según su rango o jerarquía pueden poseer o no seres humanos.

Es por eso, que la mayoría de los estudiosos e intérpretes de la Sagrada Escritura coinciden en que los demonios son los ángeles que fueron lanzados del cielo junto con Satanás por rebelarse contra la autoridad de Dios.

Es interesante, sin duda alguna, que la Biblia tampoco nos dice con claridad que los demonios son los mismos ángeles caídos. Por eso, debemos tener en cuenta que la

Escritura tiene un objetivo principal: "todas estas cosas están escritas para que creáis que Jesús es el Hijo de Dios y creyendo en él tengáis vida eterna", según el Evangelio de San Juan 20:31.

También, es importante tener en cuenta que aunque los demonios y el diablo están asociados en su labor, son seres distintos y separados, con características propias y aún con niveles de autoridad diferentes (Mateo 25:41).

A estos espíritus de maldad o ángeles caídos se les llama de diversas maneras en la Biblia: demonios (Mateo 9:33); espíritus (Lucas 9:39); espíritus inmundos (Marcos 5:2) y espíritus malos (Lucas 7:21).

Es interesante, considerar que fue en el ministerio del Señor Jesús narrado en los evangelios, en donde más manifestación de estos seres existió. De hecho, Jesús enseña que tiene nombre propio y funciones destructivas específicas.

¿Cuándo aparecieron entonces los demonios?

Por el estudio que venimos realizando, debemos concluir que los demonios o espíritus inmundos llegaron a ser así.

Dios creó a todos los ángeles con sus diversas características, virtudes y funciones, por eso vemos en las Escrituras a los serafines, querubines, arcángeles, seres vivientes y ángeles.

La Biblia nos enseña que el Lucero de la mañana (el querubín ungido) llegó a convertirse en diablo y satanás, y en su rebelión lo siguió la tercera parte de los ángeles del cielo, estos habrían venido a convertirse en espíritus inmundos o demonios.

Ellos perdieron no sólo sus privilegios en el cielo, sino que además parte de su castigo fue perder su cuerpo, y su sabiduría se corrompió, se convirtieron en seres de odio y maldad, cuyo único objetivo es destruir la obra de Dios y todo aquello que tenga su sello y le rinda culto.

En la Biblia, estos demonios son llamados también “espíritus inmundos”, sin cuerpos con los que puedan expresarse a sí mismos en este mundo natural.

Al no poseer cuerpos propios, vagan por toda la tierra procurando encontrar cuerpos en los que puedan entrar, encontrar un poco de reposo, y así expresar su malvada naturaleza y misión, por eso Jesús dijo en Mateo 12:43 nos dice:

“Cuando el espíritu inmundo sale del hombre, anda por lugares secos, buscando reposo, y no lo halla”.

Ya que los demonios son seres reales, manifiestan su personalidad a través de las personas en donde habitan. Debe tenerse en cuenta que existen varias tipos o clases de espíritus demoniacos, así como existen diferentes tipos de personas.

Entonces, se puede concluir que estos malvados seres no nacieron así, ellos se convirtieron en espíritus inmundos cuando decidieron, liderados por Satanás, rebelarse contra Dios, abandonando el orden divino y aquel diseño celestial con el que fueron creados.

Capítulo 4: ¿Existió un diluvio luciferino?

Algunos intérpretes de la Escritura ven un espacio o brecha entre los dos primeros versículos de la Biblia, es decir, entre Génesis 1:1 y 2

"En el principio creó Dios los cielos y la tierra. Y la tierra estaba desordenada y vacía, y las tinieblas estaban sobre la faz del abismo, y el Espíritu de Dios se movía sobre la faz de las aguas".

Esta posición se denominó: "La Teoría de la Brecha". Exposición que surge en el siglo XV con el teólogo holandés Simon Episcopus. Posteriormente, propuesto en el año de 1814 por Thomas Chalmers de la Universidad de Edinburgh en Escocia (debemos tener en cuenta que no es una exposición de la iglesia primitiva, Jesús no mencionó tal cosa, ni fue doctrina apostólica).

La teoría expone que en el versículo uno se presenta a Dios Creador en su labor poderosa y perfecta; pero, en el versículo dos, se presenta un caos y un gran desorden en la tierra creada, así como las aguas cubriendo ésta tierra.

Su base principal está en los términos con los cuales se describe el estado de la tierra en Génesis 1:2 "desordenada y vacía" (las palabras hebreas bíblicas usadas aquí son: "tohu y bohu").

Enseñan que Lucero gobernaba la tierra, sobre una generación de seres que la habitaban. Al rebelarse contra Dios fue expulsado del edén, y se convirtió en diablo y satanás, y sus seguidores se convirtieron en demonios.

Dios envió su juicio sobre la tierra a través de un primer diluvio (el de Noé sería el segundo), y por eso dice el texto bíblico que la tierra estaba cubierta de agua.

La Biblia nos dice en Isaías 45:18 "Porque así dijo Jehová: que creó los cielos; él es Dios, el que formó la tierra, el que la hizo y la compuso; no la creó en vano; para que fuese habitada la creó: Yo soy Jehová y no hay otro".

Dicen, los defensores de esta teoría o hipótesis, que aquel espacio de tiempo pudo haber durado millones de años. Periodo durante el cual Lucero (Satanás), desarrolló su rebelión y fue expulsado del cielo y fue lanzado a la tierra. Muchas cosas, entonces, habrían sucedido en la tierra.

De modo que, según este postulado, la tierra estuvo habitada antes de Adán, seres o habitantes pre adánicos, sería también el tiempo de existencia de los dinosaurios y sus diversas clases, así como otros grandes animales en la tierra y en el mar.

La conducta rebelde de Lucifer, la maldad de sus ángeles y de aquel mundo, provocó un juicio de Dios que en la tierra significó un diluvio, muchos años antes de la época de Noé. Por eso, algunos comentaristas utilizan la frase "diluvio luciferino".

Aquel diluvio, sería entonces, el que debió haber destruido la tierra primera, y por eso la condición en el versículo dos de Genesis capítulo uno: "Y la tierra estaba desordenada y vacía, y las tinieblas estaban sobre la faz del abismo".

Para quienes sostienen esta teoría, la estructura de eventos y tiempos de los dos primeros versículos de Genesis 1, sería así:

1) Tierra original pasada, Génesis 1:1
   a) Caída de Satanás.
   b) Juicio mediante un diluvio.
   c) Desolación en la tierra (por millones de años).

2) Tierra en ruinas, Génesis 1:2
   a) Resultado del juicio.
   b) Tierra restaurada (siete días de la creación, Génesis 1:3-2:3).

La interpretación correcta y bíblica es fundamental.

Aunque el Libro de Génesis, no es un libro científico, no podemos rechazar el hecho de que revela temas que son estudiados por la ciencia, como son el origen del universo, de la tierra y del ser humano.

Pero, sin lugar a dudas, debemos ser cuidadosos al leer, estudiar e investigar estos pasajes para no tomar posiciones extremas, ni equivocadas. Teniendo en cuenta que, ninguna enseñanza puede estar por encima de lo que Dios ha revelado en su palabra.

Esta teoría puede llevar a una segunda interpretación y pensar sobre una pre-creación, lo cual es un error. Veamos las posiciones bíblicas correctas al respecto:

1) No tenemos versículos que claramente sustenten esta enseñanza (Teoría de la brecha). Más bien son suposiciones y conjeturas. Una doctrina bíblica, como es lógico, debe tener un sustento bíblico abundante, coherente y sustancial, de otra manera debemos tener cuidado con tal exposición.

2) El pecado entró en el mundo por un hombre, y de esta manera la muerte. El pecado y la muerte no vinieron por otras especies, ni antes de la creación humana.

Nos lo dice Romanos 5:12 "como el pecado entró en el mundo por un hombre, y por el pecado la muerte, así la muerte pasó a todos los hombres, por cuanto todos pecaron".

3) La Biblia, y en este caso en particular el Libro de Génesis, enseña y muestra cómo el único y Todopoderoso Dios creó, no re-creó, la tierra y todas las cosas que existen para sus buenos propósitos y para su gloria.

4) Dar por verdadera esta teoría, genera muchas preguntas que atentan contra el papel de nuestro Salvador y de su obra única en la cruz del Calvario.

5) Debemos tener en cuenta que una doctrina debe tener sustento bíblico serio, correcto, coherente y abundante. Más bien, debemos darle la razón a la Biblia cuando claramente nos dice:

"En seis días hizo Jehová los cielos y la tierra, el mar, y todas las cosas que en ellos hay, y reposó en el séptimo día", Éxodo 20:11.

Capítulo 5: Ángeles caídos, nombres, funciones, características

En la Biblia se nos revelan varios de estos ángeles caídos, sus nombres, sus actividades, su naturaleza, características propias, entre otras cosas.

Otras fuentes de textos religiosos judíos, como el Libro de Enoc presentan y describen varios de estos ángeles caídos.

A continuación un listado de estos ángeles caídos. Primero, presentamos los revelados en las Sagradas Escrituras; y en la segunda parte los expuestos en el Libro de Enoc.

1) Entidades demoniacas reveladas según la Biblia:

a) Beelzebú.

Nombre derivado de Baal Zebub, es un calificativo del dios cananeo Baal. Nos dice la Escritura en el Evangelio según San Mateo 12:24 "Más los fariseos, al oírlo, decían: Este no echa fuera los demonios sino por Beelzebú, príncipe de los demonios".

Este nombre aparece en varios textos del Nuevo Testamento: "Príncipe de demonios". Este nombre quiere decir: dios de las moscas, Señor del estiércol o de la suciedad, señor de las tinieblas o del abismo.

Era el dios de los ecronitas, gentilicio para los habitantes de Ecrón: ciudad filistea. Este dios promueve el ocultismo, la idolatría, el satanismo, etc.

Para los fariseos, este nombre indicaba al príncipe de los demonios. Dentro de la demonología cristiana, es considerado uno de los siete príncipes del infierno, principal lugarteniente de Lucifer.

Originalmente se escribía o se presentaba como: Baal-zebub, su culto estaba relacionado con la sanidad de enfermedades, esto explica la consulta del rey Ocozías (2 Reyes 1:3-6). Posteriormente aparece el término Beelzebú. Algunos rabinos para mostrar su desprecio lo llamaban "Baal-zebel" que significa: Señor del estiércol.

b) Mamón:

Nos dice la Biblia en el Evangelio según San Mateo 6:24 "Ninguno puede servir a dos señores; porque o aborrecerá al uno y amará al otro, o estimará a uno y menospreciará al otro. No podéis servir a Dios y a las riquezas".

“Mammon” es un término arameo que quiere decir: riqueza; implica “confiar”. La palabra hebrea ‘matmon’, quiere decir: “tesoro” “dinero”.

El título “Mamón” se personifica como símbolo de las riquezas, la avaricia y la injusticia. Con engaño, este ser presenta las riquezas como la base de la felicidad del ser humano. Por deducción, “las riquezas” aparece como un señor en Mateo 6:24 y en Lucas 16:13.

Mamón, en Roma y Grecia, tenía su equivalente, y era el dios Plutón (nombre derivado de Pluto, palabra que significa literalmente: fortuna, riqueza), que también recibía el nombre de “Hades”, a quien se consideraba como el custodio de las abundancias o riquezas de la tierra (y también el señor del inframundo).

La estrategia y herramienta de Mamón es la avaricia. Ganar dinero y acumularlo se convierte en el objetivo, en la meta y pasión. El resultado es que la persona termina siendo “esclavo de Mamón” (esclavo de la avaricia).

En la edad media, Mamón fue personificado como el demonio de la avaricia, de las riquezas y de la injusticia.

c) El Leviatán.

Nos dice la Sagrada Escritura en el Libro de Job 3:8 "Maldíganla los que maldicen el día, los que se aprestan para despertar a Leviatán".

Leviatán, es una palabra utilizada en la Biblia (sobre todo en los Libros Poéticos), para referirse a un gran monstruo acuático. Según varios pasajes de las Escrituras, es un monstruo serpentesco, de gran tamaño y fuerza.

Leviatán es un nombre que quiere decir: serpiente, monstruo marino grande, dragón, enrollado en espiral.

Es por eso, que este monstruo se representa como una criatura marina gigante, con un cuerpo serpentesco; representa el caos y la maldad. En varias citas bíblicas hallamos la mención a este ser: Salmo 104:25-26. Salmo 74:14. Isaías 27:1.

Por ejemplo, nos dice el Salmo 104:25-25 "He allí el grande y anchuroso mar, en donde se mueven seres innumerables, seres pequeños y grandes. Allí andan las naves; allí este leviatán que hiciste para que jugase en éste".

En la demonología medieval, Leviatán es un demonio acuático. Promueve el orgullo y la soberbia, tiene un gran poder venenoso en su boca (calumnias, chismes, murmuración, entre otras cosas).

De hecho, su nombre “serpiente que se retuerce” nos hace recordar a la serpiente que en el huerto del Edén engañó a Adán y a Eva.

El texto de Isaías 27:1 “En aquel día Jehová castigará con su espada dura, grande y fuerte al leviatán serpiente veloz, y al leviatán serpiente tortuosa; y matará al dragón que está en el mar”.

Nos enseña que este ser, bestia temible con una ferocidad monumental y con un gran poder, será finalmente castigado y destruido. Es relacionado aquí, como el dragón del mar.

Según algunos textos rabínicos, Leviatán fue creado en el quinto día del Génesis, y luego fue sometido por el arcángel Gabriel con la ayuda de Jehová Dios. Algunos enseñan que Leviatán tiene varias cabezas, como un dragón pluricéfalo.

En el Libro de Enoc, Leviatán aparece junto a Behemot:

“En aquel día se harán salir separados dos monstruos, uno femenino y otro masculino. El monstruo femenino se llama Leviatán, y habita en el fondo del mar sobre la fuente de las aguas.

El monstruo masculino se llama Behemot, el cual se posa sobre su pecho en un inmenso desierto llamado Duindaín, al oriente del jardín que habitan los elegidos y los justos, donde mi abuelo fue tomado, el séptimo desde Adán el primer hombre a quien el Señor de los espíritus creó". Enoc 60:7-8.

d) El devorador.

Nos dice la Biblia en el Libro del profeta Malaquías 3:11 ""Reprenderé también por vosotros al devorador, y no os destruirá el fruto de la tierra, ni vuestra vid en el campo será estéril, dice Jehová de los ejércitos".

El nombre "devorador", quiere decir: uno que devora, que destruye. Aquí la palabra "devorador" se traduce del término hebreo "akal" que además quiere decir: destruidor, consumidor. Así, como hay demonios que específicamente provocan diversas enfermedades, éste demonio se especializa en consumir o arruinar las finanzas.

El devorador es una entidad o ser espiritual demoniaca con autoridad sobre multitud de demonios que traen ruina y fracaso (se fortalece con la deshonestidad, el hurto, el fraude, etc).

El devorador no ataca regiones estériles, sino donde está la cosecha. Recordemos que el diablo no podía tocar a Job, ni a su familia, ni sus bienes, porque Dios lo protegía (ver Job 1:8-10).

e) Abadón:

La palabra de Dios respecto al Abadón, nos dice que es un ser espiritual, y también es el nombre de una región infernal: Salmo 88:11 y Job 28:20-22

"¿Será contada en el sepulcro tu misericordia, o tu verdad en el Abadón?".

"El Abadón y la muerte dijeron: Su fama hemos oído con nuestros oídos".

El Abadón, es el nombre del rey que dirige las langostas (o seres espirituales que atormentarán a los hombres en los tiempos finales), según nos dice el Libro de Apocalipsis 9:11 "Y tienen por rey sobre ellos al ángel del abismo, cuyo nombre en hebreo es Abadón, y en griego, Apolión".

El nombre "Abadón" en hebreo, y "Apolión" en griego, quiere decir: ángel destructor. Es el ser supremo del abismo. Llamado también ángel de la muerte.

En el Antiguo Testamento se nos presenta a Abadón como un lugar o región refiriéndose a un abismo muy profundo, un abismo insondable; vinculado, por supuesto al mundo de los muertos.

También en el Antiguo Testamento y en el Nuevo Testamento, Abadón se presenta como un ser, es el nombre de un ángel como ya se mencionó en Apocalipsis 9:11. En otras versiones se traduce: "Destructor" y "Exterminador". Para algunos, este ángel es uno de los más importantes generales del reino de las tinieblas.

Se enseña también que Abadón es un generador de guerras y batallas entre los seres humanos. También fue Abadón, quien acompañó a Lucifer y promovió el desorden, caos y rebelión entre los ángeles. Abadón procura siempre destruir y demoler toda expresión humana, y se jacta de sus perseveras hazañas. Por eso, dirigirá el ejército de langostas que traerá devastación y tormento a los seres humanos en el futuro.

Algunas culturas y religiones enseñan que Abadón fue creado como un arcángel al servicio de Dios, pero en su rebelión se convirtió en un ángel caído, demonio. Su nombre "Abadón", está relacionado con Seol, Hades y Gehenna, de allí su naturaleza y capacidad para dar muerte.

f) Asmodeo:

Asmodeo es mencionado en el Talmud judío como un espíritu malvado (el Talmud es un compendio de comentarios de la tradición escrita del judaísmo).

Es el demonio de los placeres impuros. Es el demonio de la ebriedad, la infidelidad matrimonial, la lujuria y los desórdenes sexuales.

Aunque este demonio no es citado en la Biblia, si lo es en otros libros judíos, como el talmud y el libro de Tobías. Permanece la creencia de que este formó parte de aquellos ángeles que se rebelaron en el cielo, en unión con Lucifer.

En el libro de Tobías (libro apócrifo, es decir no se considera inspirado y por eso no forma parte del canon bíblico) se relata que Asmodeo se enamora de Sarah, hija de Raquel, y cada vez que ella se casa, mata al marido durante la noche de bodas (Tobías 3:8). Así llega a matar a siete hombres, impidiendo que consumen el matrimonio.

Asmodeo, es un espíritu inmundo que atenta contra la unidad matrimonial, la fidelidad entre los esposos, procura sembrar discordia y contienda familiar procurando y fomentando el divorcio y la infidelidad.

Asmodeo aparece como un personaje en libros de grandes escritores, Shakespeare lo mencionó, ha sido personificado en varias series de televisión y películas.

g) Hades.

En primer lugar, debemos tener en cuenta que este nombre indica tanto una región espiritual, como un ángel caído. En el Antiguo Testamento, la región de los muertos es llamada “Seol”, y “Hades” es el nombre en griego en el nuevo Testamento para el lugar de los muertos, aparece citado por ejemplo en Mateo 11:23

“Y tú, Capernaúm, que eres levantada hasta el cielo, hasta el Hades serás abatida”. Jesús mismo al resucitar dijo que tenía las llaves del Hades y de la muerte (Apocalipsis 1:18).

Hades, también es el nombre de un ángel caído de gran poder y jerarquía, la palabra “Hades”, tiene su equivalente en griego igual “Hades”. Es personificado en el Libro de Apocalipsis 6:8

“Miré, y he aquí un caballo amarillo, y el que lo montaba tenía por nombre Muerte, y el Hades le seguía; y le fue dada potestad sobre la cuarta parte de la tierra, para matar con espada, con hambre, con mortandad, y con las fieras de la tierra”

Hades tendrá que entregar a todos aquellos que están en él, según Apocalipsis 20:13 “Y el mar entregó los muertos que había en él; y la muerte y el Hades entregaron los muertos que había en ellos; y fueron juzgados cada uno según sus obras”.

Dentro de la mitología griega, "Hades" hace referencia tanto al inframundo como al dios de este lugar. El reino del Hades es la sombría morada de los muertos, región a donde iban todos los mortales.

Está región estaba irrigada por cinco ríos, el río de la congoja, el río de las lamentaciones, el río de del fuego, el río del olvido y el río del odio. Este último era la frontera entre los dos mundos, el inferior y el superior.

Hades reinaba sobre los muertos, con la ayuda de otros seres quienes estaban bajo su autoridad. Estaba completamente prohibido abandonar sus dominios, y por esa razón, Hades se llenaba de ira al extremo.

2) Ángeles caídos según el libro de Enoc:

El Libro de Enoc narra en su capítulo seis el descenso de ángeles a la tierra para tomar mujeres de entre las hijas de los hombres porque las vieron hermosas, y el líder fue Shemihaza. A continuación el texto literal del Libro de Enoc correspondiste:

Enoc. Capítulo 6: Aconteció transcurriendo el tiempo, que los hijos de los hombres se multiplicaron sobre la faz de la tierra, y entonces les nacieron hermosas hijas. En aquel tiempo los Vigilantes, ángeles hijos del cielo, las contemplaron y las desearon.

Ante esto, entre ellos hablaron diciendo: "Vamos y de entra las hermosas hijas de los hombres, escojamos mujeres y engendremos de ellas hijos". En aquel momento, Shemihaza, quien era su jefe, habló diciendo:

"Tengo temor de ser el único que se haga responsable de este gran pecado, y que vosotros no deseéis cumplir con esta acción".

En aquel momento, los otros ángeles le respondieron a Shemihaza: "Debemos realizar un juramento todos nosotros, con el compromiso de someternos bajo un anatema sino no cumplimos con este plan realmente".

Doscientos ángeles eran aquellos que decidieron descender a la tierra, descendieron sobre la cumbre del monte que ellos mismos denominaron "Hermon", pues allí hicieron el juramento y todos se comprometieron bajo anatema a cumplir lo dicho.

Como podemos leer, el líder de estos ángeles caídos llamados "Vigilantes" fue Shemihaza.

a) Shemihaza: Este nombre quiere decir: "Él ve el hombre". Fue el más importante de aquel grupo de doscientos ángeles. Todos ellos acordaron jurarle lealtad. Este ángel, convenció o persuadió a este grupo de sus compañeros, y además los indujo para que enseñarán sobre los secretos del cielo.

b) **Yekun:** Este es uno de los ángeles caídos más importantes, pues fue el primer seguidor de Satanás en su rebelión. Fue quien enseñó a los seres humanos la escritura y el significado de los signos. Tiene habilidad, por su inteligencia, para generar confusión entre los ángeles.

c) **Kesabel:** Fue este ángel uno de los principales promotores para que los otros ángeles tomaran mujeres de la tierra y pecaran con ellas. Fue el segundo seguidor de Satanás.

d) **Azazel:** Su nombre, en el Libro de Enoc, quiere decir: imprudente, arrogante para Dios. Fue este ángel quien enseñó a los seres humanos el arte de la guerra. Les enseñó cómo fabricar espadas, cuchillos, escudos, entre otras cosas afines. También enseñó a las mujeres a adornar su cuerpo con pinturas y tintes para engañar y seducir.

Azazel también enseñó a los seres humanos, el oscuro arte de la brujería, corrompiendo sus buenas costumbres y llevándolos a la impureza, inmoralidad y maldad.

e) Shamsiel: Su nombre significa: Sol de Dios. En el Libro de Enoc este ángel aparece como aquel que enseñó a los seres humanos los signos del sol, y su significado (los misterios solares).

En alguna ocasión, fue llamado "El príncipe del paraíso", porque era uno de los ángeles guardianes que custodiaban las puertas del Edén.

f) Gadreel: Este nombre quiere decir: Muro de Dios. También fue promotor, incitando a los ángeles, del pecado de tomar mujeres de la tierra. Este es un ángel caído de gran importancia e influencia entre los ángeles.

En el Libro de Enoc, en las secciones "El libro de las Parábolas" y en "Libro de Enoc" se enseña que él fue responsable de engañar a Eva en el huerto del Edén.

En el capítulo 69:6-7 del Libro de Enoc, textualmente de Gadreel se dice: "El nombre del tercero es Gadreel, este mostró a las hijas de los hombres todas las formas de dar muerte, fue él quien sedujo a Eva".

g) Kasyadael: Su nombre quiere decir: Poder oculto. Es el quinto vigilante de los ángeles caídos. Este ángel enseñó a los seres humanos acerca de los espíritus de los demonios, el aborto y sobre las mordeduras de serpientes.

De este ángel, literalmente, el Libro de Enoc dice:

"El nombre del quinto es kasyadael, este mostró a los hombres todas las plagas de los espíritus y los demonios, la plaga del embrión en el vientre para que aborte, la mordedura de la serpiente, la plaga que viene con el calor del mediodía, el hijo de la serpiente cuyo nombre es Tabaet".

h) **Rameiel:** Su nombre quiere decir: Trueno de Dios, y en el Libro de Enoc se le menciona como aquel encargado de los resucitados; es decir, es (o fue) el responsable de dirigir a los muertos cuando llegan a Dios, durante su ascenso.

Literalmente, el Libro de Enoc en el capítulo veinte, dice:

"8. Remeiel, otro de los santos ángeles, al que Dios ha encargado de los resucitados".

i) **Agniel:** Este fue el ángel caído que enseñó a los seres humanos los secretos y uso de las raíces y de las hierbas.

j) **Baraqiel:** Es el noveno de los ángeles caídos del grupo de los Vigilantes. Su nombre quiere decir: Relámpago de

Dios. Este ángel fue el responsable de enseñar a los hombres la astrología.

k) **Kokabiel:** Este ángel fue quien enseñó a los seres humanos la astronomía, y los respectivos nombres de las constelaciones. Precisamente, su nombre significa: Estrella de Dios.

l) **Sariel:** Este fue el ángel que enseñó a la humanidad sobre los cursos de la luna, y el calendario lunar. Su nombre quiere decir: Príncipe de Dios.

Capítulo 6: El inframundo y los ángeles caídos

El inframundo y los ángeles caídos:

En este capítulo desarrollaremos los siguientes puntos:

a) Definición de Inframundo, y su geografía.
b) ¿Qué es el Hades? Significado, secciones y habitantes.
c) Ángeles caídos prisioneros en cárceles de oscuridad (El Tártaro).
d) El descenso de Jesús al Hades.
e) Los espíritus encarcelados.

Definición de Inframundo.

Desde tiempos muy antiguos, en diferentes religiones, ha existido el concepto o idea de un lugar de tormento espiritual y eterno que se encuentra debajo de nosotros. Lugar de sufrimiento, monstruos, ángeles perversos, demonios, entre otras cosas. Uno de los nombres más comunes es: Inframundo.

Básicamente, Inframundo es la morada o habitación del diablo y de las almas consideradas impías; inframundo es sinónimo de infierno, lugar descrito en diversas culturas como una región llena de fuego, tinieblas, horrible.

El inframundo griego o Hades indica el reino del dios Hades dentro de la mitología griega que se consideraba estaba ubicado debajo de la tierra. Según se creía entonces, era gobernado por Hades.

Geografía del Inframundo griego.

La historia mitológica griega enseña que existen por lo menos cinco reinos en el inframundo, entre ellos está el pozo o abismo del **Tártaro**. Este es una prisión muy fortificada, rodeada además por un río de fuego llamado Flegetonte.

En su principio, el Tártaro fue destinado para los grandes y poderosos, gigantes y otros. Posteriormente, el Tártaro, también sirvió como calabozo para todas las almas condenadas.

El segundo es **el mundo de los muertos**. Este es gobernado por Hades, rey y dios del Inframundo. El tercero, es el reino de **la Isla Elísea**, isla de los bienaventurados, gobernada por Crono, aquí moran los héroes de la mitología que han muerto.

El cuarto es el reino de **los campos Elíseos**, indica el lugar de los muertos bendecidos, quienes podían ir al mundo de los vivos, aunque no todos tenían ese privilegio.

Y el quinto es **el reino de Estigia,** río sagrado en el que bañaron a Aquiles, quien quedo inmune a las armas, excepto en su talón. Este río marca el límite o frontera entre el mundo inferior y el mundo superior.

¿Qué es el Hades? Significado, secciones y habitantes.

Es la Biblia la que al respecto nos brinda información. Debemos tener presente que la morada de los muertos, en el hebreo del Antiguo Testamento se denomina "Seol"; y en el griego del Nuevo Testamento se denomina "Hades", pero indica el mismo lugar.

Nos dice, por ejemplo, el Libro de los Salmos 16:10 "Porque no dejarás mi alma en el Seol, ni permitirás que tu santo vea corrupción". Antiguo Testamento.

Y utilizando el término "Hades", el apóstol Pedro en el Libro de los Hechos 2:31 dijo: "Viéndolo antes, habló de la resurrección de Cristo, que su alma no fue dejada en el Hades, ni su carne vio corrupción".

Es muy reconocida la enseñanza de Jesús a través de la historia del rico y el mendigo según el Evangelio de Lucas 16

"Aconteció que murió el mendigo, y fue llevado por los ángeles al seno de Abraham; y murió también el rico, y fue sepultado. Y en el Hades alzó sus ojos, estando en tormentos, y vio de lejos a Abraham, y a Lázaro en su seno... y dijo: Padre Abraham, ten misericordia de mí... Abraham le dijo: Lázaro es consolado aquí, y tú atormentado; una gran sima está puesta entre nosotros y ninguno puede pasar de un lado a otro", según Lucas 16:22-26.

Como podemos ver, los términos Seol y Hades hacen referencia al mismo lugar. El evangelio de Lucas 16 nos describe varios aspectos que son muy importantes y que debemos tener en cuenta:

En primer lugar, nos enseña el pasaje bíblico que el Seol-Hades estaba compuesto por dos secciones: el seno de Abraham (lugar destinado para los justos) y el lugar de tormento (esta era el destino de los impíos, aquellos que vivieron sin termo de Dios). Algo similar a la gráfica:

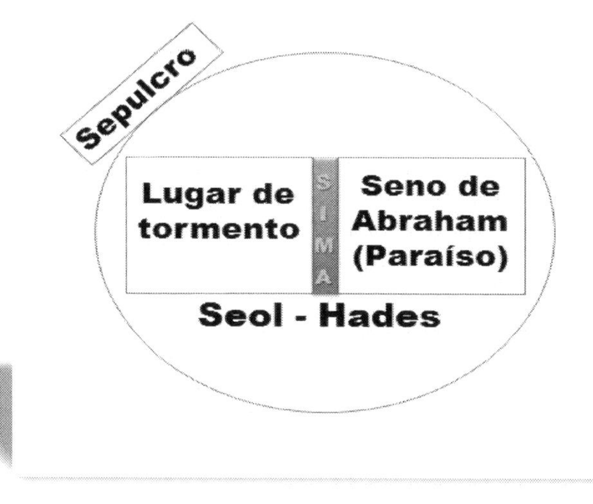

Según leemos en la Biblia, la persona sigue consciente. Entonces, se conserva la conciencia, la memoria y la capacidad de razonamiento de cada individuo.

Según haya sido su destino, la persona (en espíritu y alma) recibe consuelo o es atormentado.

También nos dice el texto bíblico que existía en aquel tiempo una gran sima que separaba las dos secciones (sima hace referencia a un abismo, grieta profunda que no puede ser superada). Cima (con "c") es el antónimo de sima (con "s").

La palabra "infierno" es prácticamente sinónima de "Hades". El término "Gehena" es una palabra griega, que se utiliza también en el Nuevo Testamento para indicar el infierno.

La Biblia habla con distintos términos que hacen referencia a diferentes regiones del Hades. Por ejemplo, habla de las prisiones de oscuridad (2 Pedro 2:4 "Tártaro"), del abismo, entre otros. La Biblia también enseña acerca del algo de fuego, destino final de Hades con todos sus habitantes.

En los tiempos actuales, los habitantes del Hades son:

Los ángeles que están en prisiones de oscuridad,

La generación perversa antediluviana, y quienes sufrieron el juicio del diluvio.
Todos los que han rechazado a Dios y a su Hijo Jesucristo.
Los demonios o ángeles caídos que en tiempos finales serán liberados para tormento de los hombres.

Veamos a continuación y en detalle cada una de estas regiones:

Prisiones de oscuridad (Tártaro):

Es el lugar en el que los ángeles caídos están prisioneros para el juicio final. Algunos enseñan que sí estuviesen libres hoy día, continuarían tomando mujeres de la tierra, contaminando y alterando la simiente de Dios, fomentando a gran escala la perversión humana, llevando a la destrucción a la humanidad, como lo hicieron en tiempos de Noé a través del diluvio.

Nos dice la Biblia en 2 Pedro 2:4 "Porque sí Dios no perdonó a los ángeles que pecaron, sino que arrojándolos al infierno los entregó a prisiones de oscuridad, para ser reservados al juicio".

Nos dice textualmente el pasaje "arrojándolos al infierno", la palabra "iniferno" aquí se traduce del término griego "tartaroo", el cual es el abismo más profundo del Hades.

La palabra "tartaroo" significa consignar en un lugar, allí los ángeles están encadenados por el pecado cometido, estarán allí hasta el tiempo del juicio final. Se describe el lugar como prisiones de oscuridad, o abismos de tinieblas. Algunas versiones traducen: mazmorras.

En el Libro de Enoc se indica que el Tártaro es el lugar de confinamiento o prisión de los doscientos ángeles caídos, conocidos como Vigilantes.

El abismo:

"Abismo" se traduce de la palabra griega "abusso", que se refiere a una profundidad insondable, el mundo inferior, las regiones infernales, el abismo del Seol (pozo profundo).

Apocalipsis 20:1-3 nos enseña que es una cárcel espiritual donde el diablo es encerrado por mil años:

"Vi a un ángel que descendía del cielo, con la llave del **abismo**, y una gran cadena en la mano. Y prendió al dragón, la serpiente antigua, que es el diablo y Satanás, y lo ató por mil años; y lo arrojó al **abismo**, y lo encerró, y puso su sello sobre él, para que no engañase más a las naciones...".

Como podemos ver, el abismo es una región o sección del Seol o Hades, como lo es el tártaro. Los demonios tienen temor de ir a éste lugar: Lucas 8:30-31 "... muchos demonios habían entrado en él. Y le rogaban que nos los mandase ir a al **abismo**".

También las Sagradas Escrituras nos dicen que el abismo es la morada de las langostas que atormentarán a los hombres en la gran tribulación: Apocalipsis 9:1-6, 11 y su rey es el ángel del abismo, llamado Abadón y en griego Apolión (términos que básicamente, traducen: destructor).

Apocalipsis 6:2-3 "Y abrió el pozo del **abismo**, y subió humo como de un gran horno... y del humo salieron langostas con poder para atormentar a los hombres".

Lago de fuego.

Es una región diferente al Hades. Pues en el lago de fuego caerá el Hades en los tiempos finales; podemos decir entonces, que el algo de fuego es el destino final del Hades y de todos sus habitantes.

El lago de Fuego, es un título para el lugar de castigo final y eterno para el diablo, sus ángeles y todos los impíos, como enseña el Libro de Apocalipsis 20: 11-15.

"Y la muerte y el Hades fueron lanzados al **lago de fuego**. Esta es la muerte segunda. Y el que no se halló inscrito en el libro de la vida fue lanzado al lago de fuego", Apocalipsis 20:14-15.

Son diversas las expresiones en el Nuevo Testamento que nos revelan las condiciones y características, tanto del infierno o hades como del lago de fuego, por ejemplo:

Respecto al infierno (Hades) la Biblia nos dice que está en las profundidades de la tierra, que en este lugar el fuego nunca se apaga, y el gusano nunca muere. En este lugar son atormentados todos los que mueren sin Cristo, esperando el juicio del gran día para ser arrojados al lago de fuego, lugar donde estarán por la eternidad.

En cuanto al algo de fuego, se describe entonces, como gran lago de fuego y azufre. Este lugar fue preparado por Dios para el juicio y castigo eterno de Satanás y sus ángeles, allí también irán por la eternidad todas aquellas personas cuyos nombres no están escritos en el Libro de la vida, es decir, aquellos que no rindieron su vida a Dios, ni creyeron en Jesucristo para salvación.

El descenso del Señor Jesús al Hades.

Las Sagradas Escrituras nos enseñan que después de morir, el Señor Jesús descendió al Hades. Muchas cosas se dicen respecto a lo que sucedió con el Señor Jesús después de morir; pero es fundamental, considerar este tema a la luz de la Biblia, tema que estaba profetizado desde el Antiguo Testamento:

Jesús estuvo tres días y tres noches en el centro de la tierra:

En vida, el mismo Señor Jesús enseñó sobre aquel descenso y el tiempo que allí estaría. Respecto a su paso por el centro de la tierra, Jesús dijo:

"Porque como estuvo Jonás en el vientre del gran pez tres días y tres noches; así estará el Hijo del Hombre en el corazón de la tierra tres días y tres noches" Mateo 12:40.

Sin duda alguna, el corazón de la tierra hace referencia al núcleo o centro de la misma. El planteamiento de la ciencia actual es que éste corazón de la tierra es su esfera central y más interna.

El núcleo de la Tierra está compuesto especialmente por hierro, con 5-10% de níquel, y menores cantidades de otros elementos, como oxígeno y azufre.

Este núcleo es de gran tamaño, pues tiene un radio cerca de tres mil quinientos kilómetros, el cual es más grande que el planeta Marte.

La temperatura del núcleo de nuestra Tierra puede sobrepasar los seis mil setecientos grados centígrados, por lo tanto, es más caliente que la superficie de nuestro sol. A este núcleo descendió el Señor Jesús, pero entonces ¿qué hay allí?

La Biblia nos enseña que el Señor Jesucristo, cuando resucita, sube por encima de los cielos, después de haber estado en las partes más profundas de la tierra, como describe Efesios 4:8-10

"Por lo cual dice: Subiendo a lo alto, llevó cautiva la cautividad, y dio dones a los hombres. Y eso de que subió, ¿qué es, sino que también había descendido primero a las partes más bajas de la tierra? El que descendió, es el mismo que también subió por encima de todos los cielos para llenarlo todo".

El Señor Jesús, como nos lo dice el pasaje, descendió a las partes más bajas de la tierra (esta expresión, desde el término griego bíblico usado significa: "región inferior", es decir, esto es el "corazón de la tierra").

La Carta a los Efesios, también nos dice aquí (Efesios 4:10) que Jesús ascendió "Por encima de todos los cielos", recordemos que la Biblia nos revela tres cielos.

Por ejemplo, el apóstol Pablo "fue arrebatado al tercer cielo" luego dice "arrebatado al paraíso" según 2 Corintios 12:2-4. Al parecer, el paraíso que estaba en el corazón de la tierra, fue traspuesto al tercer cielo cuando Jesucristo resucitó, él lo llevó consigo, esto lo podemos ver cuando Efesios 4: nos dice: que "Subiendo a lo alto, llevó cautiva la cautividad".

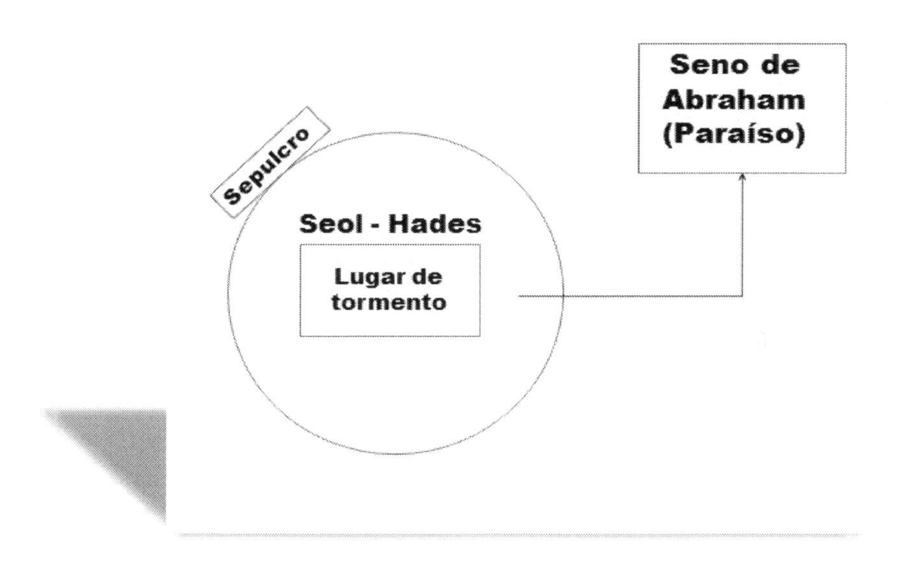

La versión bíblica NVI nos dice: "Cuando subió a lo alto, llevó consigo a los cautivos", en otras palabras, el Señor Jesús tomó a aquellos que esperaban al Mesías del Antiguo Testamento, e ingresa al tercer cielo con ellos, cuando Cristo ejerce como sacerdote y se abre un camino nuevo y vivo, por eso Jesús dijo: "yo soy el camino, la verdad y la vida, nadie va al Padre sino por mí".

Entonces, en el Antiguo Testamento, el Seol o Hades estaba compuesto por dos partes principales: El Seno de Abraham (paraíso), y el lugar de tormento. Es por eso que el Señor le prometió al ladrón que se arrepintió: "Hoy estarás conmigo en el paraíso".

Y cuando Cristo resucita, se llevó al cielo el seno de Abraham, y quedó allí solamente el lugar de tormento, el cual sigue llamándose Hades. En la actualidad, quienes habitan el Hades son:

Los ángeles que están en prisiones de oscuridad.

La generación perversa antediluviana, y quienes sufrieron el juicio del diluvio.

Todos los que han rechazado a Dios y a su Hijo Jesucristo.

Los demonios o ángeles caídos que en tiempos finales serán liberados para tormento de los hombres.

La Escritura enseña que Jesús en el Hades proclamó la profecía mesiánica cumplida en él

Con atención leamos lo que nos dice la 1ª Epístola de Pedro 3:18-20

"Porque también Cristo padeció una sola vez por los pecados, el justo por los injustos, para llevarnos a Dios, siendo a la verdad muerto en la carne, pero vivificado por el Espíritu;

en el cual también <u>fue y predicó a los espíritus encarcelados</u>; los cuales en tiempo pasado fueron desobedientes, cuando una vez esperaba la paciencia de Dios en los días de Noé, mientras se aparejaba el arca; en la cual pocas, es decir, ocho almas fueron salvadas por agua."

Como leemos textualmente en el pasaje bíblico, el Señor Jesús descendió en espíritu y alma al Hades (debemos tener presente que su cuerpo estaba en el sepulcro).

También se nos dice que allí el Señor Jesús "predicó", este término se traduce de la palabra griega "kerusso", que además quiere decir: proclamar, anunciar, pregonar, predicar, dar a conocer. Entonces, Jesús no estaba predicando para salvación, sino proclamando una profecía cumplida en él.

El texto bíblico añade que proclamó esta verdad "a los espíritus encarcelados", esta expresión hace referencia a la generación impía anterior y en vida cuando sucedió el diluvio, y a los ángeles impíos que se rebelaron contra el diseño y voluntad de Dios.

La generación que vivía en tiempos de Noé, había llenado la tierra de maldad y violencia, loa ángeles habían promovido también graves pecados contra Dios entre los seres humanos, y esto había llegado a tal grado, que Dios se vio en la necesidad de juzgar la tierra.

En este pasaje se nos dice que aquella generación de seres humanos desobedientes, aunque Dios fue paciente en la espera de su arrepentimiento, finalmente murieron, y son en la actualidad son "espíritus encarcelados"; entonces, en el Hades hay ángeles en prisiones de oscuridad y espíritus humanos en cárceles. Todos ellos en tormentos, esperando el día del juicio final.

Cuando observamos al detalle otros textos de la Biblia como son: Judas 6 y Apocalipsis 20, podemos ver diferentes zonas en el infierno o Hades.

Recordemos por ejemplo, que al observar 2 Pedro 2:4, desde el idioma griego la expresión: "arrojándolos al infierno" se traduce de la palabra griega "Tártaros" que según el diccionario Strong se describe como la sección o abismo más profundo del Hades.

A la luz de todos estos textos, vemos: prisiones, fosos de tinieblas, cárceles de oscuridad, cadenas, zonas de densas tinieblas, entre otras zonas o secciones que se hallan dentro del Hades en el núcleo o corazón de la tierra.

También, es muy importante tener en cuenta, que la Biblia nos enseña que hay puertas y llaves para estas secciones, pues el Señor Jesucristo al resucitar tomó esas llaves, y por eso él dijo:

“tengo las llaves de la muerte y del Hades” (Apocalipsis 1:18), y aquellas zonas contienen diversas clases de seres: espíritus humanos, ángeles caídos, demonios con forma de langostas, y un día según la Escritura irán al juicio final para ser lanzados al lago de fuego por los siglos de los siglos.

Debemos también tener en cuenta, que el Hades, es un lugar previo o que precede al lago de fuego, el cual es el juicio final y eterno de condenación, por eso dice Apocalipsis 20:14

“Y la muerte y el Hades fueron lanzados al lago de fuego. Esta es la muerte segunda”.

El principal mensaje de la Biblia es que Cristo nos rescató de aquel horrible destino. Él entregó su vida en sacrificio por muchos, para que todo aquel que en él crea, no se pierda sino que tenga vida eterna.

El Señor Jesús dio su vida por nosotros, él sabía el horrible y eterno destino para hombre, y por eso vino. Fue al Hades para que nosotros no vayamos a ese lugar, él es nuestro bendito Salvador eterno.

Capítulo 7: Los Nephilim o gigantes de la antigüedad

Los Nephilim o gigantes de la antigüedad.

¿Descendientes de los ángeles caídos?

La palabra de Dios es también un registro que preserva y hace referencia a los tiempos más remotos de la creación y de la humanidad. Ella nos enseña que había gigantes en la tierra antes del diluvio, y también después de aquel juicio.

En primer lugar consideremos lo que nos dice la Sagrada Escritura en el Libro de Génesis 6:4

“Había gigantes en la tierra en aquellos días, y también después que se llegaron los hijos de Dios a las hijas de los hombres, y les engendraron hijos”.

Y también la Biblia más adelante, hace mención de otros gigantes en la tierra de Canaán, y durante el gobierno del rey David. Entonces, hubo gigantes antes y después del diluvio. Es famosa la batalla entre el gigante filisteo Goliat y David.

Es interesante, y debemos tener en cuenta narraciones de la literatura judía y religiosa, por ejemplo, dentro de los textos apócrifos, el libro de Baruc 3:24-27 enseña:

"Oh Israel, cuán grande es la casa de Dios, y cuán vasto es su dominio. Es muy grande y no tiene término. Allí nacieron los gigantes, los famosos desde la antigüedad, de alta estatura, diestros en la guerra. Pero, no eligió Dios a éstos, ni les dio a conocer el camino de la sabiduría, y así perecieron por falta de prudencia".

Sin duda alguna, y como lo registra la Biblia misma, estos gigantes generaban mucho temor; hasta el punto, que los mismos israelitas no querían pelear contra ellos.

Otros pueblos también conocían y temían a estos poderosos gigantes, a quienes llamaban: enaquitas, refaitas, emitas, entre otros, descendientes de pueblos cananeos antiguos.

A través de diferentes escritos y de la Biblia, podemos ver su estilo de vida, es decir, ellos vivían en ciudades (a veces grandes), formaban familias, trabajaban la piedra y los metales. Eran además, muy buenos guerreros, algunos famosos gigantes de estos gigantes fueron:

a) Og, rey de Basán.
b) Arbé, famoso entre su pueblo.

c) Goliat y Dodo, fuertes y famosos guerreros que militaban en las filas del ejército filisteo.
d) Rafa, antepasado y patriarca de otros hombres de gran estatura.

Para la ciencia, sigue siendo muy interesante y tema de investigación, la desaparición de estos gigantes.

Los gigantes y los hallazgos arqueológicos:

La ciencia misma nos confirma, a través de diversos hallazgos la existencia de estos gigantes. Grandes esqueletos humanos o restos de gran tamaño ratifican que en épocas antiguas algunas zonas de la tierra estuvieron pobladas por gigantes; y por supuesto, muchas tradiciones y culturas dan cuentan de historias que narran la presencia y hazañas de estos grandes seres.

Además del registro escrito de estos seres en las Sagradas Escrituras, hay constancia escrita de ellos en textos sagrados de Tailandia, en la mitología griega, en las culturas aztecas, egipcias, europeas, etc; su huella palpable a través de los restos de sus antiguas y grandes construcciones.

A través de restos encontrados por todo el territorio norteamericano se palpa esta verdad. Por ejemplo, en el año de 1883, unos soldados sacaron en el estado de Nevada, los restos de un hombre de tres metros y medio. En

1993 fueron desenterrados en Arizona (en el Gran Cañón) los restos petrificados de dos gigantes de 4,5 y 5,5 metros de altura.

También se han encontrado restos gigantes en Centro y Sur América. Por ejemplo, en el Museo del Oro de Lima Perú, se conserva un cráneo gigantesco de un ser humano.

También se han encontrado otros restos y hallazgos que se pueden ver en el Reino Unido y en Irlanda. En Chenini Túnez, se descubrió un cementerio de gigantes de tres metros.

Fue también interesante, el hallazgo en la ciudad de Bathurst (Australia), junto a unas herramientas, un gigantesco molar que, según los expertos, pudo haber sido de un ser humano de 7,5 metros de altura y unos quinientos kilogramos de peso. Un gran gigante, sin duda.

Origen de los gigantes:

Tengamos en cuenta que literalmente la Biblia Reina Valera en Génesis 6:2-4 dice: "que viendo los hijos de Dios que las hijas de los hombres eran hermosas, tomaron para sí mujeres, escogiendo entre todas... Había gigantes en la tierra en aquellos días, y también después que se llegaron los hijos de Dios a las hijas de los hombres, y les engendraron hijos. Estos fueron los valientes que desde la antigüedad fueron varones de renombre".

El texto bíblico nos dice que había gigantes antes y después de la unión entre los hijos de Dios y las hijas de los hombres. Por tanto, ya existían gigantes antes de aquella unión. ¿De dónde vinieron? ¿Cuál fue su origen?

No lo podemos precisar, pues hay diversas teorías, extraterrestres que llegaron a la tierra, una alteración genética en la raza humana, entre otros. Lo cierto es que sería una raza existente desde tiempos muy antiguos, y la Biblia lo registra.

Respecto al origen de los gigantes o Nephilim como resultado de la unión entre ángeles caídos y mujeres de la tierra, hay básicamente dos líneas de interpretación:

Primera línea de interpretación:

Esta enseña que la expresión: "los hijos de Dios" hace referencia a los descendientes piadosos de Set, aquellos que invocaban a Dios, y fueron estos quienes se acercaron y tomaron para sí mujeres de la descendencia impía de Caín, ellas serían identificadas con la frase: "las hijas de los hombres".

Esta unión, que no fue aprobada por Dios, afectó y debilitó la descendencia piadosa, y generó maldad en la tierra en gran manera, hasta traer sobre la humanidad el juicio mediante el diluvio en tiempos de Noé.

Segunda línea de interpretación:

En esta línea de interpretación nos enseña que "los hijos de Dios" eran realmente ángeles caídos, los cuales tomaron para sí mujeres de entre las hijas de los hombres (las cuales vieron hermosas) y les engendraron hijos, y que fueron estos los que vinieron a ser una raza de gigantes.

Otros textos bíblicos como 2 Pedro 2:4 y Judas 14-16 hacen favorable esta segunda línea de interpretación.

¿Gigantes o valientes? ¿Nephilim o Guibbor?

Al contemplar literalmente el pasaje bíblico de Génesis 6:4, vemos que se destacan dos palabras: "gigantes" y "valientes". Veamos:

"Había **gigantes** en la tierra en aquellos días, y también después que se llegaron los hijos de Dios a las hijas de los hombres, y les engendraron hijos. Estos fueron los **valientes** que desde la antigüedad fueron varones de renombre".

La palabra hebrea usada aquí para "gigantes" es "nefil" que además quiere decir: tirano, derribador. Mientras que para la palabra "valiente" se utiliza el término hebreo "guibbor" que además quiere decir: poderoso, guerrero, héroe, fuerte.

La palabra "Guibbor" se aplica a guerreros valientes y esforzados. También puede referirse a terratenientes con responsabilidades militares.

El pasaje de Génesis 6:4 nos dice que estos hijos, resultado de la unión entre los hijos de Dios y las hijas de los hombres fueron los valientes, los "guibbor". Sí, los hijos de Dios, es una alusión a los ángeles caídos, entonces estos valientes serían el resultado de la unión entre los ángeles y las mujeres de la tierra.

Estos Guibbor, llegaron ser "varones de renombre", ellos tuvieron virtudes o capacidades que los destacaron, sobre en lo relacionado con el arte de la guerra.

Otras versiones bíblicas traducen respecto a los Guibbor: "Estos son los héroes famosos de la antigüedad" y "Ellos fueron los famosos héroes de los tiempos antiguos".

Sí los "hijos de Dios" hacen referencia a la línea piadosa descendiente de Set, al unirse con las hijas de los hombres (mujeres no piadosas, probables desciendes de Caín), estaríamos hablando de una generación de valientes ("guibbor"), palabra que también quiere decir tiranos y héroes.

Hablaríamos entonces, de una generación de hombres muy fuertes y diestros en el arte dela guerra, que se convirtieron en líderes como resultado de sus hazañas.

Luego, estos valientes tiranizaron a los pueblos, y con su maldad acabaron de pervertir la tierra, razón por la que vino el juicio mediante el diluvio.

El primer hombre calificado como "guibbor" en esta tierra fue Nimrod, pues la Biblia utiliza este término hebreo para identificarlo, dice literalmente en el Libro de Génesis 10:8-10

"Y Cus engendró a Nimrod, quien llegó a ser el primer poderoso *(guibbor)* en la tierra. Este fue vigoroso cazador delante de Jehová; por lo cual se dice: Así como Nimrod, vigoroso cazador delante de Jehová. Y fue el comienzo de su reino Babel...".

Lo primero que podemos ver, es que este hombre Nimrod, no fue hijo de un ángel caído y una mujer de la tierra, sino hijo de Cus, hijo de Cam, quien era hijo de Noé. Esto, sería una prueba que apoya la línea de interpretación que enseña que los "hijos de Dios" no son ángeles caídos, sino descendientes de Set.

Este primer poderoso en la tierra, Nimrod, fue el fundador del primer reino en la tierra. Su nombre quiere decir: rebelde. Fue el primer prototipo de anticristo en toda la tierra, fue su reino el primero en procurar un reino mundial que edificaba una torre que llegaría a lo más alto del cielo, como símbolo de rebeldía y apostasía.

Aquella ciudad sede de su reino se llamaba Babel, que significa: Babilonia, y Babilonia significa también (confusión). Su razón de existencia fue concentrar un poder en un solo reino, fue el esfuerzo de la religión humanista para un Gobierno Mundial.

El Libro de Enoc y el origen de los gigantes.

A continuación, puedes leer en algunos párrafos, la versión literal que enseña el Libro de Enoc respecto a la unión de ángeles caídos con las mujeres hermosas de la tierra, y cómo de aquella unión nacieron los Nephilim o gigantes; así como la enseñanza que le dieron a la humanidad, y que la llevó a cometer mucho más pecado y violencia:

Capítulo seis del Libro de Enoc:

1. En aquel momento, Shemihaza, quien era su jefe, habló diciendo: "Tengo temor de ser el único que se haga

responsable de este gran pecado, y que vosotros no deseéis cumplir con esta acción".

2. Entonces, los otros ángeles le respondieron a Shemihaza: "Debemos realizar un juramento todos nosotros, con el compromiso de someternos bajo un anatema sino no cumplimos con este plan realmente".

Eran por todos aquellos ángeles doscientos, los que descendieron sobre la cumbre del monte que ellos mismos denominaron "Hermon", pues allí hicieron el juramento y todos se comprometieron bajo anatema a cumplir lo dicho.

En esta sección, el Libro de Enoc relata que doscientos ángeles del cielo descendieron a la tierra y tomaron para sí hermosas mujeres. Los ángeles se pusieron de acuerdo para cometer esta rebelión.

Como resultado de aquella unión, las mujeres dieron a luz gigantes, con un apetito voraz, que llegaron incluso a devorar animales y seres humanos, incluso hasta devorarse entre ellos mismos.

Capítulo siete del Libro de Enoc:

1. Entonces, todos los que habían descendido y con sus jefes, escogieron entre las mujeres de la tierra, y empezaron

a juntarse con ellas, y se contaminaron con ellas, además les enseñaron a ellas las prácticas de la brujería, de la magia y el corte de las raíces, y también les enseñaron acerca de las plantas.

2. Sucedió entonces, que las mujeres quedaron embarazadas de ellos, y luego dieron a luz gigantes de unos tres mil codos de altura, estos nacieron sobre la tierra y crecieron de acuerdo a su propia niñez.

3. Ellos devoraban el resultado de las labores y trabajo de los seres humanos, hasta que llegó el momento cuando los hijos de los hombres no lograron abastecerles más.

4. Fue en aquel tiempo cuando los gigantes se volvieron contra los hijos de los hombres quitándoles la vida y devorando sus cuerpos.

5. También, aquellos gigantes comenzaron a pecar contras las aves del cielo y contra las bestias que caminan sobre la tierra, también contra los que se arrastran sobre la faz de la tierra, y contra los peces que habitan en el mar, ellos también se devoraban los unos la carne de los otros, y añadían a su pecado el beber sangre.

6. Sucedió entonces que la tierra acusó a los impíos por toda la maldad y pecado que se había cometido en ella.

Estos sucesos fueron catalogados como un gran pecado delante de Dios, según narra Enoc; y además los ángeles que habían hecho esta maldad, enseñaron a las mujeres la ciencia delos árboles y las plantas (agricultura).

También les enseñaron las artes ocultas, cosas como la brujería, la magia y el corte de las raíces, astrología, cómo pintarse con antimonio, entre otras cosas similares.

Estos malvados ángeles caídos, también enseñaron a los hombres al arte de fabricar las armas, como las espadas, los escudos, cuchillos, corazas, entre otros. También enseñaron a los hombres el arte de los metales.

También les enseñaron a las mujeres el arte de pintarse los ojos con antimonio, cómo pintar y embellecer los parpados, los tintes de color y enseñaron lo referente a las piedras preciosas. Con todas estas cosas, la humanidad de entonces, cayó en la práctica de muchos pecados y provocó el juicio del Señor, el cual fue el diluvio.

Es interesante ver a la tierra realizando acciones propias según este pasaje anterior: "la tierra acusó a los impíos". En la Biblia se nos dice por ejemplo que a causa de la maldad de los cananeos, ellos fueron expulsados de la tierra, literalmente nos dice: "y la tierra fue contaminada; y yo visité su maldad sobre ella, y la tierra vomitó sus moradores" Levítico 18:25.

También podemos ver otra acción de la tierra en Apocalipsis 12:16 en donde se nos dice: "Pero la tierra ayudó a la mujer, pues la tierra abrió su boca y tragó el río que el dragón había echado de su boca").

Capítulo ocho del Libro de Enoc:

1. También sucedió en este tiempo, que Asael dio la enseñanza a los hombres acerca de la fabricación de las espadas de hierro, así como de las corazas de cobre; también les enseñó como extraer y laborar hasta dejar listo el oro; además les instruyó todo lo relacionado con la plata, cómo tallarla y cómo diseñar brazaletes, collares y otros ornamentos. Además, a las mujeres las instruyó respecto al uso del antimonio, las tinturas, sobre las piedras preciosas y sobre el uso del maquillaje de los ojos.

2. Como resultado de todas estas cosas, la maldad se multiplicó, y ellos decidieron ir por los malos caminos, y de esta manera llegaron en todas las formas a corromperse.

Después de estas palabras, nos narra el Libro de Enoc, que Dios manda a su ángel Sariel para que le diga a Noé, que debe esconderse pues él va a enviar un diluvio sobre la tierra como castigo sobre los ángeles malvados.

El Señor da instrucciones a Miguel para que haga desaparecer la injusticia, la violencia y la opresión de la tierra, y sea la justicia y la verdad los valores que prevalezcan, y todos los seres humanos bendigan y adoren al Señor.

Libro de Enoc.

Los cinco gigantes que se destacaron en la Biblia:

Es muy importante tener en cuenta que cuando Israel inicia la conquista de la tierra prometida una de las cosas que desanimó al pueblo hebreo es que los diez espías hablaron de los gigantes que habitaban allí, y que decían ellos, eran tan grandes y poderosos que no podrían vencerlos.

¿Quién fue Goliat, el gigante filisteo?

Este gigante fue un soldado principal del ejército filisteo. Su nombre "Goliat" y la raíz de ésta palabra, nos permite ver varios significados:

El que toma cautivos y los despoja.
Destierro (a quienes lleva cautivos).
Rebelión (no se sujeta a Dios y promueve la desobediencia).

Goliat era un filisteo, y los filisteos eran una nación guerrera, por eso con frecuencia hubo guerra entre filisteos e israelitas. Los filisteos eran idólatras, sus principales dioses eran Dagón, Astoret y Baal-zebub; siendo Dagón el más importante para ellos. El mismo Goliat era adorador de aquellos dioses, nos dice 1 Samuel 17:42-43

"Y cuando el filisteo miró y vio a David, le tuvo en poco; porque era muchacho, y rubio, y de hermoso parecer. Y dijo el filisteo a David: ¿Soy yo perro, para que vengas a mí con palos? Y maldijo a David por sus dioses".

El gigante Sipai:

Nos dice 1 Crónicas 20:4 "Después de esto aconteció que se levantó guerra en Gezer contra los filisteos; y Sibecai husatita mató a Sipai de los descendientes de los gigantes; y fueron humillados".

La batalla se da en Gezer. La palabra "Gezer" significa: porción, algo cortado, separado. Ciudad que estuvo por siglos en manos cananeas, y fue asignada a los levitas, quienes por mucho tiempo no pudieron usarla. Fue entregada por Dios a los levitas, pero los descendientes de los gigantes no querían entregarla. Allí estaba el gigante Sipai para impedir las funciones sacerdotales de los levitas.

Aquel gigante se llama Sipai. Éste nombre significa: Guardia del umbral o de la puerta principal. Tazón o vasija que contiene. Sipai impide el acceso o controla el paso.

Es derrotado por Sibecai, husatita. La raíz del nombre "Sibecai" significa: envolver, entretejer. En la Biblia se usa en dos versículos para referirse al entretejido (trenzado) que forman las ramas o raíces de un árbol.

Las ramas entretejidas dan sombra y amortiguan una caída, las raíces entretejidas o trenzadas son más fuertes para sostener un gran árbol y son sumamente difíciles de arrancar. Esto nos habla de la importancia de la unidad, del amor hacia el hermano, de la capacidad para perdonar al otro.

El gigante Lahmi, hermano de Goliat:

Nos dice 1 Crónicas 20:5 "Volvió a levantarse guerra contra los filisteos; y Elhanán hijo de Jair mató a Lahmi, hermano de Goliat geteo, el asta de cuya lanza era como un rodillo de telar".

El gigante Lahmi tenía una gran lanza igual a la de su hermano con la que quería infundir miedo, pero Elhanán fue a combatir con fe, como lo hizo David, y así triunfó.

Lahmi el gigante filisteo, era hermano de Goliat geteo (gentilicio del habitante de Gat, así nos dice 1 Samuel 17:4 "Goliat, de Gat"), gigante que cayó derrotado por mano de David. Quizá actuaba en éste gigante, un espíritu de venganza.

En segundo lugar veamos el significado de su nombre. Su nombre "Lahmi" tiene varios significados: Mi pan (la raíz de la palabra traduce: alimento). Mi guerra. Guerrero. Es uno que estorba el alimento para el pueblo de Dios.

Elhanán, el guerrero que lo derrotó, tiene varios significados: Gracia. Dios ha mostrado su favor. Regalo. "hijo de Jair" y el nombre Jair significa: "Mi luz" "Quien difunde luz" "Iluminado por Dios".

El gigante de seis dedos en pies y manos:

Nos dice 1 Crónicas 20:6 "Y volvió a haber guerra en Gat, donde había un hombre de grande estatura, el cual tenía seis dedos en pies y manos, veinticuatro por todos; y era descendiente de los gigantes".

La ciudad de Gat estaba bajo el dominio filisteo, por ciertos periodos de tiempo estuvo bajo el gobierno de Israel. Su nombre "Gat" significa: Lagar de uvas, prensa o tina de vino. Aquella era una tierra fértil y había muchos viñedos y prensas de uva. Es significativo que Goliat era de allí, así como éste gigante.

En la Biblia no se da el nombre de este gigante, a diferencia de los anteriores, como: Goliat, Sipai y Lahmi. El hecho de que sea desconocido su nombre nos permite concluir que trabaja encubiertamente, no revela sus verdaderos propósitos, sino que trabaja de manera disimulada.

Es muy interesante tener en cuenta que tenía seis dedos en cada una de sus extremidades, para un total de "veinticuatro dedos por todos" nos dice la Biblia.

En la Escritura el número seis hace referencia a lo humano, es el número imperfecto (pues el perfecto es el número 7); es el humanismo que desplaza a Dios; el 666 es el número del anticristo, entonces se hace referencia aquí a aquel o aquello que no está alineado con Dios, no está de acuerdo con el diseño del Señor, se opone a Dios.

1 Crónicas 20:7 "Este hombre injurió a Israel, pero lo mató Jonatán, hijo de Simea, hermano de David".

Este gigante cayó ante Jonatán, hijo de Simea. Su nombre "Jonatán" significa: Dios ha dado. Dios ha establecido; y Simea significa: proclamación, testimonio, palabra. Al unir estos significados podemos resumir que Jonatán hijo de Simea significa: Dios ha dado su testimonio, Dios ha establecido su palabra; y fue ante éste hombre que cayó el gigante.

El gigante Isbi-benob:

En éste caso en particular, David se cansó ante la batalla, y en aquel preciso momento aparece otro de los descendientes de los gigantes llamado Isbi-benob (2 Samuel 21:16-17) y por poco mata a David. Abisai fue quien llegó en su ayuda y aquel gigante cayó.

Nos dice 2 Samuel 21:15-16 "... Y David se cansó, e Isbi-benob, uno de los descendientes de los gigantes, cuya lanza pesaba trescientos siclos de bronce, y quien estaba ceñido con una espada nueva, trató de matar a David".

El nombre de éste gigante "Isbi-benob" tiene varios significados particulares:

a) Respiración.
b) Que toma cautivo o preso.
c) Mi casa es Nob.

Su arma es el cansancio y el desánimo. Procura impedir y controlar el descanso, por eso David se agotó en la batalla y estuvo a punto de morir.

Pero 2 Samuel 21:17 nos dice: “Más Abisai hijo de Sarvia llegó en su ayuda, e hirió al filisteo y lo mató”.

Capítulo 8: El dragón y los ángeles caídos.

Los ángeles caídos y el gran dragón rojo.

El Señor Jesús dijo en una ocasión que el "fuego eterno fue preparado para el diablo y sus ángeles" (Mateo 25:41), expresión que nos permite ver varias cosas:

El destino final y eterno de Satanás y de los ángeles caídos es el lago de fuego.
El texto nos muestra una condición de sumisión de los ángeles caídos al diablo.
Es tal la relación entre ellos que son llamados por el Señor: "el diablo y sus ángeles".

Respecto a esta relación y eventos que ocurrirán en los tiempos finales, Apocalipsis nos revela una batalla que sucederá entre Miguel y sus ángeles, y el diablo y sus ángeles.

Es interesante observar que los conflictos espirituales tienen gran incidencia en el mundo natural, Apocalipsis 12:7-8

"Después hubo un gran batalla en el cielo: Miguel y sus ángeles luchaban contra el dragón; y luchaban el dragón y sus ángeles; pero no prevalecieron, ni se halló ya lugar para ellos en el cielo".

Debemos tener presente que el Espíritu de Dios enseña la realidad de la batalla espiritual, a través del apóstol Pablo dice: "no tenemos lucha contra carne ni sangre", y advierte diciendo: "no podemos ignorar sus maquinaciones".

Es estlablecimiento del reino de Dios en la tierra significa el desplazamiento del reino satánico, es cuando el Reino de la Luz desplaza el reino de las tinieblas. La paz de Dios se establece, y gobierna la justicia.

El pasaje bíblico de Apocalipsis 12 es escatológico, y hace referencia al tiempo de la tribulación de Israel al fin de los tiempos. En el texto vemos que hay una batalla en el cielo y ésta tiene gran incidencia en la tierra.

El término "batalla" desde el griego bíblico traduce además: guerra, conflicto, lucha, contienda, actividad militar. Hablamos de una realidad espiritual bélica y violenta.

¿Quién es el dragón y quiénes son sus ángeles?

Nos dice el texto bíblico que Miguel es quien lidera el ejército de Dios, y el dragón dirige sus ángeles, pero finalmente Miguel logra la victoria.

El término "dragón" aquí se traduce de la palabra griega "drakon", que además quiere decir: serpiente (que se supone fascinaba); denota un monstruo, una gran serpiente, con una agudeza visual muy poderosa. La raíz de ésta palabra hebrea significa: ver o mirar. Horrible serpiente similar a un monstruo.

El dragón se considera, culturalmente, un monstruo fabuloso de las mitologías antiguas. Dentro de la mitología fenicia y babilónica, el dragón es un monstruo grande, de aspecto espantoso, y del caos primitivo, que Jehová Dios mantiene sometido.

En la época intertestamentaria, el dragón es un ser apocalíptico, enemigo de Dios y de su pueblo, es Satanás mismo, y así es presentado en el Libro de Apocalipsis. De hecho, su tamaño y su poder demoniaco es representado en las palabras de Apocalipsis 12:3

"He aquí un gran dragón escarlata, que tenía siete cabezas y diez cuernos, y en sus cabezas siete diademas".

En algunos pasajes de la Biblia, el término "dragón" hace referencia a un enemigo de Dios o poderes de la maldad. En otros textos, la palabra "dragón" indica seres y animales reales terrestres y marinos.

Los ángeles del dragón, son sin duda, una alusión a las tropas de ángeles caídos que le siguen, están bajo su autoridad, y forman su ejército. Son ángeles de guerra que hacen frente contra las huestes angelicales de Dios.

El nombre "Miguel" significa: "Quien es como Dios". Ese significado es una verdad, no hay otros Dios como el nuestro, y Su poder está sobre todos los poderes del universo visible e invisible. Dios ha establecido que el diablo no prevalecerá.

El gran dragón con sus ángeles es arrojado a la tierra.

Nos narra Apocalipsis 12:9 "Y fue lanzado fuera el gran dragón, la serpiente antigua, que se llama diablo y Satanás, el cual engaña al mundo entero; fue arrojado a la tierra, y sus ángeles fueron arrojados con él".

Es interesante ver que desde la creación misma, desde el Edén, Dios diseñó al hombre para gobernar. Cristo delegó a sus discípulos para ir y ejercer el ministerio con Su poder, y luego delegó su autoridad a la iglesia. Dios confió al hombre su poder y autoridad.

Es en este texto de la Sagrada Escritura donde más apelativos se usan para describir a Satanás:

Gran dragón: monstruo, personificación de un ente espiritual satánico, de gran agudeza visual.

La serpiente antigua (nos recuerda su obra en el Edén);

Diablo: calumniador, amante de los chismes maliciosos, su raíz literalmente significa arrojar a través ("dia" significa: a través, y "ballo" arrojar), y de ahí sugiere un ataque verbal.

Satanás: oponente, adversario, enemigo.

Engañador: el que hace extraviar o descarriar, el que seduce, impostor.

Acusador: quejoso ante la ley, uno que ante la asamblea está en contra (por ejemplo, Jesús le dijo a Pedro: "Satanás, te ha pedido para zarandearte, y yo he rogado por ti, para que tu fe no falte").

Desde antes de la creación del ser humano, el diablo ha sido un profesional de la mentira, es padre de ella, es un engañador consumado, no hay nadie más diestro en el uso de la mentira que Satanás.

Y opera a través de sus mensajeros: ángeles caídos, demonios o espíritus inmundos, entre otros medios. Usa poderosamente la acusación o calumnia. El diablo diseña sus maquinaciones y mensajes, los envía y a través de sus ángeles y les comisiona sus planes destructivos.

Es muy interesante, observar que en el versículo siguiente, el número diez nos dice de Satanás, el dragón: "ha sido lanzado fuera el acusador de nuestros hermanos", ratificando su papel de fiscal o uno que acusa ante el trono de Dios. Es decir, Satanás engaña y propicia el pecado, y luego va a pedir el juicio sobre aquel pecador.

La victoria sobre el dragón, según Apocalipsis 12:11, se debe a varios factores:

"Ellos le han vencido por medio de la sangre del Cordero y de la palabra del testimonio de ellos, y menospreciaron sus vidas hasta la muerte".

Entonces, las armas de la victoria fueron:

La sangre del Cordero.

Esto nos habla de la obra redentora de Cristo. Nos habla de arrepentimiento (el diablo acusa con bases legales, pero allí es donde opera la sangre del Cordero ante el arrepentimiento).

Nos habla de sellar la puerta (recuerda como aplicaron la sangre del cordero en las puertas antes de salir de Egipto en Éxodo, es decir debemos sellar esos pequeños agujeros por donde el enemigo quiere volver a entrar, esto es un cambio de vida.

La palabra del testimonio.

Es una referencia a la palabra de Dios. Ella no puede quedarse escrita. El testimonio es expresión de Dios. Hablamos de palabras pronunciadas de acuerdo a las palabras del Señor.

Aprendimos a hablar, oyendo a nuestros padres. Estamos diseñados por Dios, para oír primero, y luego hablar; por eso debemos oír la palabra de nuestro Padre celestial, y luego hablar. Somos embajadores y debemos hablar el lenguaje de nuestra patria celestial.

Negación al yo.

Reflexionemos en el apóstol Juan en la isla de Patmos, desterrado por el evangelio, probablemente era el último vivo de los apóstoles, todos ellos sacrificados por anunciar el evangelio, esto nos habla de determinación por la extensión del Reino de Dios.

Capítulo 9: Actividad de los ángeles en los tiempos apocalípticos

Una perspectiva desde la profecía de Juan apóstol.

Los cuatro jinetes del Apocalipsis:

Las Sagradas Escrituras contienen también un lenguaje simbólico, que debemos interpretar correctamente pues Dios tiene grandes y profundas revelaciones y enseñanzas para sus hijos. Acerquémonos a la Biblia con discernimiento y sencillez de corazón para estudiar un tema tan interesante como éste.

La Biblia nos habla de cuatro jinetes, conocidos como los jinetes del Apocalipsis. Cada uno de ellos, es un ángel que tendrá autoridad de Dios para traer juicio a la tierra en aquellos tiempos de tribulación.

El primer jinete (Apocalipsis 6:1-2).

"Vi cuando el Cordero abrió uno de los sellos, y oí a uno de los cuatro seres vivientes decir como con voz de trueno: Ven y mira. Y miré, y he aquí un caballo blanco; y el que lo montaba tenía un arco; y le fue dada una corona, y salió venciendo, y para vencer”.

El caballo blanco indica victoria y paz (ese poder para vencer es concedido por Dios por un tiempo. La paz que trae éste jinete es temporal y aparente). El jinete es el anticristo.

Recordemos que la tierra está bajo el juicio de Dios, éste jinete no es el Señor Jesucristo pues él aparece en el capítulo 19:11-16 de Apocalipsis, es entonces muy importante tener en cuenta el contexto.

El arco significa el control que tendrá sobre las armas del mundo entero. La ausencia de flechas puede indicar que usará más la diplomacia que la guerra (esto será por supuesto en un comienzo, pues se presentará como aquel que trae la paz al mundo, pero después derramará su ira sobre los hombres). La corona indica su dominio o gobierno sobre las naciones de la tierra.

El segundo jinete (Apocalipsis 6:3-4).

“Cuando abrió el segundo sello, oí al segundo ser viviente, que decía: Ven y mira. Y salió otro caballo, bermejo; y al que lo montaba le fue dado poder de quitar de la tierra la paz, y que se matasen unos a otros; y se le dio una gran espada”.

El caballo rojo representa o indica violencia y guerra (la guerra o violencia que se desatará durante la gran tribulación).

El jinete de éste caballo quitará la paz temporal y falsa que ha traído el anticristo, y producirá derramamiento de sangre y muerte en la tierra (hablamos de conflictos entre naciones, etnias, revoluciones internas, etc).

La espada grande que se le entrega a éste jinete indica una gran guerra (probablemente sean los inicios o señal del inminente Armagedón).

El tercer jinete (Apocalipsis 6:5-6).

"Cuando abrió el tercer sello, oí al tercer ser viviente, que decía: Ven y mira. Y miré, y he aquí un caballo negro; y el que lo montaba tenía una balanza en la mano. Y oí una voz de en medio de los cuatro seres vivientes, que decía: Dos libras de trigo por un denario, y seis libras de cebada por un denario; pero no dañes el aceite ni el vino".

El caballo negro indica muerte (la muerte que vendrá como resultado de la gran escasez, el hambre azotará la tierra como nunca antes en la historia del hombre).

La balanza en su mano significa o es símbolo de la escasez de alimentos. Una voz con gran autoridad sale del trono de Dios, dando las instrucciones a éste jinete, versículo seis.

En tiempos ordinarios o normales con un denario en Israel se compraba de seis a ocho veces lo que aquí se menciona (la carestía entonces será enorme).

El vino y el aceite indican o hacen referencia a los elementos básicos de la economía del pueblo de Israel, entonces en medio del juicio Dios no permitirá que la economía de su pueblo sea completamente destruida. Pues se le dice al jinete: “No dañes el aceite ni el vino” estos alimentos son preservados del daño, son librados del juicio. Ni podrán ser contaminados.

Parafraseando las palabras que salen del trono sería algo como: “A ti, jinete del caballo negro, no se te concede potestad para dañar el aceite o el vino. No tienes la autoridad para destruir estos alimentos.”

Opinamos que “aceite” y “vino” bien pueden representar a los olivares y viñedos del pueblo de Israel.

El cuarto jinete (Apocalipsis 6:7-8).

“Cuando abrió el cuarto sello, oí la voz del cuarto ser viviente, que decía: Ven y mira. Miré, y he aquí un caballo amarillo, y el que lo montaba tenía por nombre Muerte, y el Hades le seguía; y le fue dada potestad sobre la cuarta parte de la tierra, para matar con espada, con hambre, con mortandad, y con las fieras de la tierra”.

El color amarillo desde el griego bíblico también traduce pálido, color verdoso, color de los cadáveres que mueren de pestilencia. Todo esto indica una gran epidemia o muerte masiva.

El jinete de este caballo amarillo es la Muerte. Aquí podemos ver en acción dos ángeles caídos de gran poder. En éste caso “Muerte” es un nombre personal, es un principado al servicio del reino de Satanás, el Hades que le sigue es también un nombre personal, entonces aquí aparecen como personas, pero en otros pasajes como Apocalipsis 20:13 y 1:18 hacen referencia a regiones o lugares:

“Y el mar entregó a los muertos que había en él; y la muerte y el Hades entregaron los muertos que había en ellos; y fueron juzgados cada uno según sus obras”

“Y el que vivo, y estuve muerto; más he aquí que vivo por los siglos de los siglos, amén. Y tengo las llaves de la muerte y del Hades”.

Estos seres: Muerte y Hades, están encargados de cuidar éstas regiones que tienen sus mismos nombres). Los instrumentos para ejecutar la muerte (el 25% de los hombres de la tierra morirán) son: espada, hambre, mortandad (quizá a través de plagas) y las fieras de la tierra.

Las langostas de la quinta trompeta. Apocalipsis 9:

Estos seres suben del abismo (Apocalipsis 9:1-3).

"El quinto ángel tocó la trompeta, y vi una estrella que cayó del cielo a la tierra; y se le dio la llave del pozo del abismo. Y abrió el pozo del abismo, y subió humo del pozo como humo de un gran horno; y se oscureció el sol y el aire por el humo del pozo. Y del humo salieron langostas sobre la tierra; y se les dio poder, como tienen poder los escorpiones de la tierra".

Es necesario mirar con detenimiento los detalles que se nos describen: La estrella que cae del cielo es un ser angelical (para la mayoría de intérpretes es un ángel malo).

La llave abre el pozo del abismo (el abismo es una región de morada y cárcel espiritual para seres demoniacos; el pozo es el canal o salida de sus habitantes; sólo Dios tiene la llave). Las langostas van sobre la tierra con poder como el de los escorpiones.

Estos seres atormentan a los hombres de la tierra (Apocalipsis 9:4-6).

Se nos describe ahora a quiénes y cómo atormentarán las langostas a los habitantes de la tierra:

"Y se les mandó que no dañasen a la hierba de la tierra, ni a cosa verde alguna, sino sólo a los hombres que no tuviesen el sello de Dios en sus frentes. Y les fue dado, que los atormentasen cinco meses; y su tormento era como tormento de escorpión cuando hiere al hombre. Y en aquellos días los hombres buscarán la muerte, pero no la hallarán; y ansiarán morir, pero la muerte huirá de ellos".

Las langostas naturalmente dañan precisamente todo los árboles y plantas, pero éstas no podrán hacer ese daño. Serán atormentados aquellos hombres que no tienen el sello de Dios en sus frentes por cinco meses.

Características de las langostas:

Se nos describe estos seres con una capacidad impresionante, pues tienen virtudes del caballo, del hombre y de la mujer, del león, de ejércitos muy fuertes para la batalla, etc. Su objetivo específico dañar o atormentar (no matar) a los hombre por cinco meses.

Son dirigidas por el ángel del abismo: (Apocalipsis 9:11).

“Y tiene por rey sobre ellos al ángel del abismo, cuyo nombre en hebreo es Abadón, y en griego, Apolión”.

Su nombre significa: destrucción. Vemos una vez más que el reino de las tinieblas tiene una estructura. El abismo es el mundo inferior o regiones infernales. Hace referencia a las regiones inferiores como morada (o cárcel) de demonios de donde pueden ser soltados.

Los demonios que estaban en el endemoniado gadareno le rogaron Jesús que nos los enviara allí (Lucas 8:31 “Y le rogaban que nos los mandase ir al abismo”). Estos seres temen a ir a ese lugar, al abismo.

La Biblia también describe cuatro ángeles y doscientos millones de jinetes (Apocalipsis 9). Éstos jinetes son dirigidos por cuatro ángeles que están atados junto al río Éufrates (Apocalipsis 9:13-16). Estos cuatro ángeles son seres de destrucción y muerte, su poder es tan fuerte que estaban atados y preparados para un tiempo especial.

Las características de éstos jinetes se exponen en Apocalipsis 9:17-19 “Así vi en visión los caballos y a sus jinetes, los cuales tenían corazas de fuego, de zafiro y de azufre. Y las cabezas de los caballos eran como cabezas de leones; y de su boca salían fuego, humo y azufre... Pues el poder de los caballos estaba en su boca y en sus colas;

porque sus colas, semejantes a serpientes, tenían cabezas, y con ellas dañaban".

Corazas de fuego, zafiro y azufre (siendo éste fuego infernal pues es de destrucción y muerte, el mismo azufre nos recuerda los tormentos del infierno).

Las cabezas de sus caballos como cabezas de león nos hablan de su poder y sagacidad para destruir.

De su boca sale fuego, humo y azufre, que nos indica el poder infernal con el cual destruyen a los hombres. Sus colas (semejantes a serpientes) también causan daños y dolor.

Estos tres elementos: fuego, humo y azufre, son tres plagas con las cuales morirá la tercera parte de los hombres.

El ángel Abadón o Apolión y el toque de la quinta trompeta:

La quinta trompeta, Apocalipsis 9:1-2 "El quinto ángel tocó la trompeta, y vi una estrella que cayó del cielo a la tierra; y se le dio la llave del pozo del abismo. Y abrió el pozo del abismo, y subió humo del pozo como humo de un gran horno; y se oscureció el sol y el aire por el humo del pozo".

A este ser angelical se le entrega la llave del pozo del abismo (recordemos que Jesucristo tiene las llaves de la muerte y del Hades), él debe descender y abrir la puerta del pozo, la cual ha estado sellada. De aquel pozo sube humo y era tan denso y grande que oscureció el sol y el aire.

La estrella hace referencia a un ángel caído.

La expresión "cayó del cielo a la tierra y se le dio la llave" no muestra un rango celestial, sino una expresión de degradación, pues finalmente los ángeles caídos también están al servicio de Dios, por ejemplo: el espíritu de mentira en boca de los profetas, leer 1 Reyes 22:19-22.

La expresión "Se le dio la llave" nos habla de una misión, y de una puerta. Hay muchas llaves para muchas puertas y para muchos lugares, en este caso el lugar es terrible, "subió humo del pozo del abismo" nos indica que está en un profundo lugar bajo tierra.

¿Qué es el pozo del abismo?

El término "pozo" se traduce de la palabra griega "frear" que además traduce: hoyo, pozo, cisterna, cavado para sacar agua; entonces es el conducto al abismo.

El término "abismo" se traduce de la palabra griega "abusos" que además significa: sin fondo, lugar más profundo, profundidad insondable. Hace referencia al mundo inferior, a regiones infernales, como morada de demonios, de donde pueden ser soltados.

No es un lugar natural, y sus moradores tampoco son seres naturales (es una región espiritual, así como sus habitantes lo son).

El abismo es una sección del Hades. Es una cárcel espiritual.

El infierno, Hades (palabra griega para el Nuevo Testamento), Seol (palabra hebrea para el Antiguo Testamento), o lugar de tormento, es un lugar previo al lago de fuego que es el destino final de los impíos, del diablo y de sus ángeles.

El pozo del abismo es un lugar cerrado (por eso la necesidad de la llave) ubicado en el mundo inferior o inframundo.

¿Qué o quienes son las langostas?

Nos dice el versículo 3 de Apocalipsis 9: "Y del humo salieron langostas sobre la tierra; y se les dio poder, como tienen poder los escorpiones de la tierra".

Lo más probable, es que sean espíritus inmundos destinados para ese tiempo, Juan los describe como langostas (su forma hacía pensar eso), con un grado de poder delegado para atormentar a los hombres.

Su aspecto nos indica varias cosas importantes: Apocalipsis 9:7-10

"El aspecto de las langostas era semejante a caballos preparados para la guerra; en las cabezas tenían como coronas de oro; sus caras eran como caras humanas; tenían cabello como cabello de mujer; sus dientes eran como de leones; tenían corazas como corazas de hierro; el ruido de sus alas era como el estruendo de muchos carros de caballos corriendo a la batalla; tenían colas como de escorpiones, y también aguijones; y en sus colas tenían poder para dañar a los hombres durante cinco meses".

La expresión "Caballos de guerra" nos indica ejércitos violentos y sin piedad. Las coronas de oro y caras humanas, significan poder e inteligencia; mientras que el cabello de mujer, indica estar bajo dominio.

Los dientes como de leones, hacen referencia a un poder implacable y destructor, y las corazas y alas, indican protección, agilidad y velocidad. Mientras que las colas y aguijones, expresan su largo alcance y el gran dolor que producen.

Estas langostas (demonios) tienen conocimiento de Dios, versículo 4 "Y se les mandó que no dañasen a la hierba de la tierra, ni a cosa verde alguna, ni a ningún árbol, sino solamente a los hombres que no tuviesen el sello de Dios en sus frentes".

Los hombres que no tienen el sello de Dios serán atormentados por estos seres por cinco meses, y sufrirán como el tormento del escorpión cuando hiere al hombre, y los hombres buscarán la muerte pero no la hallarán, versículo seis.

No son langostas naturales, pues éstas precisamente se comen todo lo verde, pero éstas están diseñadas para atormentar a los hombres impíos.

Todos estos seres son gobernados por Abadón o Apolión, versículo 11

"Y tienen por rey sobre ellos al ángel del abismo, cuyo nombre en hebreo es Abadón, y en griego, Apolión".

Ésta sección tiene un rey, es el ángel del abismo y es el jefe de éstos miles de seres. Su nombre en hebreo "Abadón" significa: destrucción, perdición; y su nombre en griego "Apolión" significa: el que constantemente destruye.

En el Antiguo Testamento la palabra Abadón, se usa como sinónimo de Seol o muerte. Abadón es el ángel caído encargado de dirigir los seres demoniacos con apariencia de langostas.

Aquí mismo se nos dice que él es el ángel del abismo, es el ser supremo del abismo. Considerado por muchos intérpretes de la Biblia como uno de los principales generales del ejército del diablo.

En diversos textos apócrifos, Abadón es considerado una entidad demoniaca, como el ángel de la muerte, donde es un demonio del abismo.

La falsa trinidad de Apocalipsis.

El gran dragón (Apocalipsis 12:3-4)

El dragón es el diablo (versículo 9). Su color rojo indica su violencia destructora. La cabeza nos enseña su inteligencia malvada que domina y planea; siete indica una completa concentración del mal.

El cuerno indica poder y fuerza; el número diez señala algo completo. El término "arrastraba" desde el griego indica poder de maligna seducción que esclaviza a sus seguidores.

Las “estrellas del cielo” son ángeles, que se convirtieron en demonios.

Su objetivo desde el principio ha sido acabar con la simiente de la mujer (de la que vendría Cristo). El dragón y sus ángeles son lanzados a la tierra (Apocalipsis 12:7-9). Puede referirse al inicio de la gran tribulación, Apocalipsis 12:12

“Por lo cual alegraos, cielos, y los que moráis en ellos. ¡Ay de los oradores de la tierra y del mar! porque el diablo ha descendido a vosotros con gran ira, sabiendo que tiene poco tiempo”.

El dragón persigue a Israel y su descendencia, según Apocalipsis 12:13-17. El tiempo de la persecución durará tres años y medio, durante la gran tribulación.

De manera sobrenatural Dios protegerá a su pueblo (o posiblemente algunos amigos de Israel lo ayuden, ocultándolo). La descendencia de la mujer pueden ser judíos creyentes que no alcanzaron a refugiarse.

La falsa trinidad de Apocalipsis está conformada por el dragón (que es el diablo), y dos de sus servidores. Así, el dragón trata de imitar al Padre, el anticristo al Hijo Jesucristo, y el falso profeta al Espíritu Santo. Este engaño será poderoso en los tiempos de la Gran Tribulación.

Veamos al detalle estos dos servidores del diablo:

Las dos bestias:

El Anticristo (o primer bestia) Apocalipsis 13:1

“Me paré sobre la arena del mar, y vi subir del mar una bestia que tenía siete cabezas y diez cuernos; y en sus cuernos diez diademas; y sobre sus cabezas, un nombre blasfemo”.

El término anticristo significa a la vez que se opone a Cristo y que usurpa su lugar, es “uno que, asumiendo el papel de Cristo, se opone a Cristo”. En las Escrituras, la idea del anticristo tiene relación tanto con una actitud (“han surgido muchos anticristos”), como con una persona (“el anticristo viene”).

Descripción: Sube del mar: el mar es figura de muchas naciones perturbadas. Sus cabezas y cuernos nos hablan de la autoridad y el poder que recibe de Satanás (éstas siete cabezas son figura de la autoridad plena que tendrá sobre las naciones de la tierra). Nombres de blasfemia sobre sus cabezas: posiblemente presentándose como dios, y ofendiendo al Dios Todopoderoso.

En el vrs. 2 vemos que mediante animales se revela su composición: leopardo (imperio griego), oso (imperio Medo-persa), león (imperio de Babilonia), y el dragón es Satanás.

"Y la bestia que vi era semejante a un leopardo, y sus pies como de oso, y su boca como boca de león. Y el dragón le dio su poder y su trono, y grande autoridad", Apocalipsis 13:2.

En el vrs 3, vemos una sanidad: "Vi una de sus cabezas como herida de muerte, pero su herida mortal fue sanada; y se maravilló toda la tierra en pos de la bestia".

Esta es una imitación del poder sanador del Mesías, y por eso muchos creerán en él y en el dragón (vrs. 4), declarándolos como el máximo poder ("y adoraron al dragón y a la bestia, diciendo Quién como la bestia y quién podrá luchar contra ella").

Con la segunda bestia que se revela a partir de versículo 11 de éste mismo capítulo, se completa la falsa trinidad: el dragón, el anticristo y el falso profeta, tratando de imitar al Padre, al Hijo y al Espíritu Santo respectivamente. Recordemos aquí que el anticristo se está presentando como el "mesías".

Sus actividades: Apocalipsis 13:5-6.

“También se le dio boca que hablaba grandes cosas y blasfemias; y se le dio autoridad para actuar cuarenta y dos meses. Y abrió su boca en blasfemias contra Dios, para blasfemar de su nombre, de su tabernáculo, y de los que moran en el cielo”.

Habla blasfemias contra Dios y contra sus hijos, lo hace con arrogancia y altanería, y les es concedido hacerlo por 42 meses. Los santos son los judíos que se convierten a Cristo durante la tribulación, y mueren a manos del anticristo (vrs. 7), quien tiene en ese tiempo una autoridad mundial.

Los adoradores de la bestia son aquellos inconversos que despreciaron la gracia en Jesús una y otra vez (vrs. 8). El pueblo de Dios es motivado a perseverar con fe en todo tiempo (vrs. 9-10).

El falso profeta (o segunda bestia) Apocalipsis 13:11.

“Después vi otra bestia que subía de la tierra; y tenía dos cuernos semejantes a los de un cordero, pero hablaba como dragón”.

Desde el Antiguo Testamento los falsos profetas, instrumentos del reino de las tinieblas, han estado presentes en medio del pueblo de Dios, precisamente buscando engañar a los escogidos.

La Biblia nos dice: “y no es de extrañar, ya que Satanás mismo se disfraza de ángel de luz. Por eso no es de sorprenderse que sus servidores se disfracen de servidores de la justicia”. Es fundamental pues que los hijos de Dios caminemos con discernimiento, para hacer la diferencia entre lo verdadero y lo falso.

Descripción: “Otra bestia”, es diferente a la primera, pero sus objetivos son los mismos. Ayudará a la primera bestia (anticristo). Hablamos de un poder espiritual mundial.

Tiene semejanza de cordero, pero sus palabras son inspiradas por el dragón. Tendrá un gran poder de persuasión, con su apariencia piadosa y sus palabras religiosas, engañará a muchos (véase Apoc. 19:20).

El falso profeta descrito también en el Libro de Apocalipsis, según la profecía, será agente de la bestia y aliado del Anticristo, a quienes se les describe siendo juntamente echados al lago de fuego y azufre en el fin de los tiempos.

Sus actividades: Persuade con poder engañoso a los habitantes de la tierra para que adoren al anticristo, vrs. 12-13. El falso profeta (segunda bestia) promoverá una falsa y ecuménica iglesia que adorará al anticristo, sus adoradores serán engañados mediante milagros falsos, con señales parecidas a los profetas del Antiguo Testamento (“hará caer fuego del cielo a la tierra”).

Persuade a los moradores de la tierra para que fabriquen una imagen del anticristo, a la que luego le dará "vida", vrs. 14-15. Al tener poder en la tierra, y el respaldo del anticristo (poder político) se emitirá una ley para matar a todo aquel que se niegue a adorar al gobernante mundial (anticristo) y a su imagen.

Controlará la economía mundial y sólo los que tengan la marca podrán comprar y vender, vrs. 16-17. El anticristo tendrá prácticamente el control económico mundial.

Todos los seres humanos deberán adorarlo, y ser seguidores o profesantes de la religión mundial que ha formado el falso profeta con el respaldo del líder mundial (anticristo). Estos seguidores deberán llevar una marca en la frente o en la mano para ser identificados y para poder comprar o vender. Los que se nieguen a ser marcados pagaran con su vida.

La marca será una señal que él mismo proveerá, vrs. 17-18. Es una señal de la trinidad satánica (el dragón, el anticristo y el falso profeta). Los números en diferentes idiomas indican diferentes nombres.

Es una marca, un sello (y una vez más, vemos al diablo imitando la obra de Dios, pues Dios mismo ha sellado a los suyos, nosotros tenemos el sello del Espíritu Santo, por eso dice la Biblia: “y habiendo creído en él, fuisteis sellados con el Espíritu Santo de la promesa”, Efesios 1:13).

Será un dispositivo electrónico (o de naturaleza espiritual) que indica (así como los sellos en el Antiguo Testamento): Propiedad de, Identidad con, Sometimiento a.

La bestia y el falso profeta son condenados (Apoc. 19:20), al igual que Satanás y sus ángeles en el lago de fuego para siempre, según: Mateo 25:41, 2 pedro 2:4, Judas 6, y Apocalipsis 20:10.

El juicio del gran trono blanco.

A continuación Apocalipsis nos dice el destino de estos ángeles caídos, y de aquellos que rechazaron a Dios y su gracia. Apocalipsis 20:11 “Y vi un gran trono blanco y al que estaba sentado en él, de delante del cual huyeron la tierra y el cielo, y ningún lugar se encontró para ellos”.

Como podemos ver a través de este título éste es un evento en el que se recibe ya no la gracia de Dios sino su juicio. Este juicio se llevará a cabo en el tiempo final después del milenio, antes de entrar en el reino eterno de Dios.

Debemos recordar aquí que en todo tribunal o juicio hay un juez que es quien dicta la sentencia. La pena o condena por el pecado es la muerte, pues la paga del pecado es la muerte dice la Biblia. Ante el juicio del trono blanco comparecerán todos los perdidos de todas las épocas.

Conociendo esto, Dios mismo por amor envió a su Hijo Jesucristo a morir por nuestros pecados. Entonces la actitud y deseo de Dios es que todos se salven, que ninguno se pierda, por eso dice la Biblia:

"De tal manera amó Dios al mundo que dio a su Hijo unigénito, para que todo aquel que en él cree, no se pierda más tenga vida eterna" Juan 3:16.

Por eso nos enseña la Escritura que Cristo es nuestra justicia cuando creemos en él y en su obra. No hay otro mediador entre Dios y los hombres, sino Jesucristo el Señor, y por él alcanzamos la paz con Dios, por eso nos dice la Biblia: "Justificados por la fe, tenemos paz para con Dios por medio de nuestro Señor Jesucristo" (Romanos 5:1).

Jesucristo Salvador.

Todas las personas que mueren sin Cristo comparecerán ante el juicio del trono banco, es por eso que debemos mantener presente que todo aquel que cree en Jesucristo no irá a condenación eterna, sino que su nombre será escrito en el libro de la vida.

Apocalipsis 20:12 “Y vi a los muertos, grandes y pequeños, de pie ante Dios; y los libros fueron abiertos, y otro libro fue abierto, el cual es el libro de la vida; y fueron juzgados los muertos por las cosas que estaban escritas en los libros, según sus obras”.

La Biblia nos habla aquí de los muertos grandes y pequeños que llegan ante aquel trono, muertos y pequeños quiere decir los más poderosos y los débiles. La vida no se acaba aquí en la tierra al morir, la vida del cuerpo físico sí, pero el espíritu y el alma siguen vivos para siempre, porque cuando Dios creó al hombre puso eternidad en él.

También la Biblia nos enseña aquí la existencia de diversos libros en el cielo. Recordemos aquí que el Salmo 139:13-16 nos enseña que los ojos de Dios vieron nuestro embrión cuando estaba en el vientre de nuestra madre, y que fuimos formados allí “según estaba escrito en su libro”.

Podemos ver además en Apocalipsis 20:12 que hay más libros en el cielo, pues dice: “y los libros fueron abiertos, y otro libro, el cual es el libro de la vida”. Los primeros libros mencionados aquí son aquellos donde quedan registrados los pecados de los que el ser humano no se ha arrepentido.

Muchos crímenes y delitos en la tierra se quedan sin investigar y no reciben la acción de la justicia, y por tanto los culpables se quedan sin pagar sus crímenes. Otros logran evadir la acción de la justicia y mediante diversas estrategias y engaños siguen delinquiendo, pero de este juicio final nadie escapará.

En la tierra se puede engañar a los hombres y a las instituciones, pero nadie puede engañar a Dios. Por eso dice la Biblia: "No os engañéis, Dios no puede ser burlado", él conoce los sentimientos y los pensamientos más profundos de nuestro corazón.

La Biblia nos dice aquí que los muertos fueron juzgados por las cosas que estaban escritas en los libros, haciendo referencia a toda acción que en contra de la ley de Dios hizo la persona mientras vivió en la tierra.

En el juicio final nos dice la Biblia que el mar, la muerte y el Hades entregarán sus muertos, y esto será para que vayan a condenación eterna, pero nosotros iremos a vida eterna con Cristo Jesús, fue él quien pagó el precio de nuestros pecados para que hoy tengamos vida.

Apocalipsis 20:13 "Y el mar entregó los muertos que había en él, y la muerte y el Hades entregaron los muertos que había en ellos, y fueron juzgados cada uno según sus obras".

Este pasaje hace alusión a un evento en el juicio final. En la Biblia estos nombres (muerte - Hades) pueden hacer referencia a seres espirituales demoniacos (principados o potestades) o a regiones espirituales, según el contexto. Es interesante tener en cuenta que en la mitología griega "Hades" es el dios del inframundo.

La Biblia nos enseña en **Apocalipsis 6:8** "Miré, y he aquí un caballo amarillo, y el que lo montaba tenía por nombre Muerte, y el Hades le seguía; y le fue dada potestad sobre la cuarta parte de la tierra, para matar con espada, con hambre, con mortandad, y con las fieras de la tierra".

Aquí vemos que la Muerte y el Hades son seres que cumplen una misión destructiva, son seres con intelecto, emociones y voluntad; y en Apocalipsis 20:13 el mar, la muerte y el hades actúan como seres con personalidad.

Al decir "el mar, la muerte y el Hades entregaron los muertos que había en ellos" nos deja ver que también hace referencia a lugares con esos nombres, lugares en donde había muchos muertos.

Recordemos aquí que la región de los muertos en el Antiguo Testamento se le llama "Seol" (término hebreo), mientras que en el Nuevo Testamento se le llama "Hades" (termino griego). Jesús también dijo: "las puertas del Hades no prevalecerán contra mi iglesia" entonces el Hades tiene puertas, porque también es un lugar.

El Hades (traducido en algunas versiones como “infierno”) es entonces una región transitoria o temporal, pues el destino eterno de sus ocupantes es el lago de fuego.

También podemos preguntarnos ¿desde qué momento empezaron a acumularse personas en esos lugares o regiones espirituales? La Biblia nos enseña en 1 Pedro 3:18-20 que allí están los espíritus encarcelados, aquellos que desobedecieron en días de Noé mientras se preparaba el arca, y Dios con paciencia esperaba su arrepentimiento.

La vida es un regalo de Dios en la tierra, en la vida tenemos la oportunidad de conocer y seguir a Cristo; nacer de nuevo nos convierte no sólo en hijos de Dios, sino en ciudadanos del reino celestial.

Así como en la tierra la ciudadanía de una persona queda confirmada por su registro en los libros del país, al nacer de nuevo en Cristo venimos a ser nación santa, linaje escogido, pueblo adquirido por Dios.

Aquella ciudadanía queda confirmada cuando nuestro nombre queda registrado en el libro de la vida, que es el libro de la ciudadanía celestial y es por eso que los inscritos en este libro no irán al lago de fuego, porque no son ciudadanos del lago de fuego, sino ciudadanos del reino de Dios. Gracias Señor Jesucristo por habernos salvado de la condenación eterna.

La muerte segunda es el lago de fuego eterno.

Sin duda la muerte de Jesús en la cruz del calvario fue una muerte horrible, mucho más si tenemos en cuenta que él no cometió pecado, sino que tomó el lugar nuestro allí. Fue castigado y torturado como el peor criminal, todo eso lo soportó el Señor para librarnos del más terrible destino: el lago de fuego para siempre. Cristo es nuestro bendito y poderoso salvador...

Apocalipsis 20:14-15 "Y la muerte y el Hades fueron lanzados al lago de fuego. Esta es la muerte segunda. Y el que no se halló inscrito en el libro de la vida fue lanzado al lago de fuego".

El juicio del gran trono blanco es un juicio al final de los tiempos para aquellos cuyo corazón impío nunca se acercó a Dios. En primer lugar se nos habla de la muerte segunda, y nos dice el texto que ésta consiste en ser lanzados al lago de fuego. Entonces los muertos sin arrepentimiento ni fe en Jesucristo salen del Hades y son lanzados a aquella región de fuego y juicio eterno.

Esa región llamada "Lago de fuego" es un terrible lugar al que la misma Escritura le añade algunas características como: azufre, tormento eterno, castigo; también en Apocalipsis 14:11 se nos dice que "el humo de ese tormento sube por los siglos de los siglos", es un lugar preparado para el diablo y sus ángeles, Jesús mismo lo dijo en Mateo 25:41

"Entonces dirá también a los dela izquierda: Apartaos de mí, malditos, al fuego eterno preparado para el diablo y sus ángeles".

Es decir, el lago de fuego es también el ámbito de tormento eterno para el diablo y sus ángeles, por eso nos dice **Apocalipsis 20:10** "Y el diablo que los engañaba fue lanzado en el lago de fuego y azufre, donde estaban la bestia y el falso profeta; y serán atormentados día y noche por los siglos de los siglos".

Por todo esto aún los mismos demonios temen ir a ese lugar. Lamentablemente allí también irá toda persona que no se acoge a la gracia de Dios en Cristo Jesús.

El versículo quince nos enseña claramente que aquella persona cuyo nombre esté inscrito en el libro de la vida no irá al lago de fuego eterno. La pregunta aquí es ¿Cómo es inscrito el nombre de una persona en aquel libro de la vida?

Apocalipsis 21:27 nos enseña algo muy importante: "No entrará en ella ninguna cosa inmunda, o que hace abominación y mentira, sino solamente los que están inscritos en el libro de la vida del Cordero".

El contexto nos viene hablando de las virtudes maravillosas y sobrenaturales de la ciudad celestial, una ciudad que resplandece como una piedra preciosa; el material de la ciudad es oro puro semejante al vidrio limpio; sus puertas son perlas; no tiene sol ni luna, pues la gloria de Dios la ilumina; y "sólo entrarán en ella los que estén inscritos en el libro de la vida del Cordero".

Nótese que aquí en la parte final de éste versículo (Apocalipsis 21:27) al libro de la vida se le llama: "el libro de la vida de Cordero".

Es muy interesante tener en cuenta que la Biblia Nueva Versión Internacional traduce Apocalipsis 21:27 así: "Nunca entrará en ella nada impuro... sino sólo aquellos que tienen su nombre escrito en el libro de la vida, el libro del Cordero", la parte final de este versículo en la RV nos dice "el libro de la vida del Cordero", pero aquí se le llama también "el libro del Cordero".

El término "Cordero" nos hace referencia a Jesucristo, el cordero de Dios que quita el pecado del mundo, nos recuerda el sacrifico de Jesús en la cruz, el cordero que derramó su sangre, el cordero que puso su vida por nuestros pecados.

El castigo por nuestros terribles pecados lo sufrió Jesús en su carne y los borró con su sangre derramada, porque sin derramamiento de sangre no hay perdón de pecados.

Los corderos que eran sacrificados en el Antiguo Testamento eran una figura o símbolo del Cordero divino que había de venir, Aquel que sería sacrificado en la cruz del Calvario.

En los libros celestiales estaban escritos todos nuestros pecados, pero cuando creímos en Jesús, cuando creímos en el poder de su sangre, aquella sangre fue aplicada en aquellas páginas llenas de nuestro pecado y fueron limpiadas y así ya no hay pruebas en contra nuestra, todos los pecados fueron borrados.

Jesús sabía del destino que nos esperaba, Dios sabía que nuestro destino era el lago de fuego, así que envió a su precioso y único Hijo a morir por nosotros, Jesús murió para darnos vida, Jesús pagó el precio de nuestra entrada a la ciudad celestial.

Anexo: El principio de la vida y de la guerra espiritual

Origen de la vida y de la creación.

La Biblia comienza diciendo: "En el principio creó Dios los cielos y la tierra" Génesis 1:1.

El libro de Génesis nos describe los comienzos de la creación, de la humanidad y el inicio del pueblo hebreo. De igual manera nos relata cómo comienza a desarrollarse el plan de redención de la humanidad.

Los libros del pentateuco (o cinco primeros libros de la Biblia) por lo general llevan el nombre de la primera frase con que comienza dicho libro. En el caso del primer libro que comienza diciendo "en el principio" se le llamó "Génesis" que significa: comienzos.

Estos eventos fueron revelados por el Espíritu Santo a Moisés quien escribía bajo la inspiración divina, sin duda una experiencia sobrenatural y hermosa, ya que Dios le enseñaba cosas mucho tiempo antes de que él viviera.

Estas primeras palabras con las que comienza la Biblia nos permiten ver también a Dios en esa continua labor de enseñanza y procurando revelar al hombre su origen, tema que inquieta mucho al ser humano. La Biblia contiene la respuesta a aquellas preguntas que la humanidad se ha hecho a lo largo de su existencia:

¿De dónde vengo? ¿Para dónde voy? ¿Por qué existo?

En primer lugar debemos considerar lo que el primer versículo nos enseña. El término "principio" se traduce aquí de la palabra hebrea "reshít", la cual nos habla del inicio o comienzo de un periodo determinado. Vemos entonces que esta palabra indica el comienzo de una nueva etapa en los propósitos divinos.

El tiempo en el que nosotros nos movemos es diferente a la eternidad de Dios. La creación dio comienzo a un nuevo periodo, y cuando tratamos de mirar más atrás, es decir antes de Génesis 1:1, nuestra mirada se pierde, pues allí aparece la eternidad divina, y acerca de ésta sabemos lo que el Señor por la Biblia nos revela.

Entonces la expresión "en el principio" nos habla del inicio de la existencia de nuestro mundo y el universo, pues nuestro Dios es eterno y habita la maravillosa eternidad.

La frase “En el principio” es una expresión que nos lleva a miles y miles de años atrás, época o tiempo que limita con la eternidad, pero que el Espíritu Santo nos revela y enseña de manera sencilla y clara.

Quisiéramos encontrar la respuesta a todas nuestras inquietudes, sin embargo debemos tener presente que la Biblia es ante todo un mensaje de salvación.

Por eso la misma Biblia nos dice: “Y muchas otras señales (milagros) hizo también Jesús en presencia de Sus discípulos, que no están escritas en este libro; pero éstas se han escrito para que ustedes crean que Jesús es el Cristo (el Mesías), el Hijo de Dios; y para que al creer, tengan vida en Su nombre” Juan 20:30-31.

El universo creado.

Génesis 1:1, primeras palabras de la Biblia que nos dicen: “En el principio creó Dios”, las palabras “creo Dios” son muy importantes aquí, pues nos revelan la obra divina, quiero decir fue el Señor mismo quien actuó de manera sobrenatural y poderosa, fue él quien diseñó y constituyó el universo.

Por tanto, la creación es una muestra del poder de Dios, de su amor por la humanidad y de su completa soberanía.

La palabra “creó” nos lleva a reflexionar en el gran poder creador de nuestro Dios. La Biblia nos enseña que él creo el universo. La acción “crear” es un atributo o facultad que sólo tiene Dios. Es muy importante considerar aquí en detalle varios elementos que son fundamentales:

El término “Crear” en Génesis 1:1 es traducido de la palabra hebrea “bara”, que en el texto de las Sagradas Escrituras sólo se usa cuando el sujeto es Dios. Es una virtud o capacidad exclusivamente divina. No hay ningún otro ser o persona que puede crear. Por eso no somos el resultado de una evolución, sino que somos obra de las manos del Dios Creador y Todopoderoso.

Somos una obra de las manos de Dios. El Señor con su poder y grandeza nos hizo a su imagen y semejanza, desea compartir su amor y grandeza con todos sus hijos.

El texto en Génesis 1 nos dice también que: “creó Dios los cielos y la tierra”. Podemos ver entonces que dice “los cielos”, es un término en plural que nos muestra que Dios creó varios cielos y la tierra.

Si consideramos la tierra y su diversidad, su estructura material física, su maravilloso equilibrio natural, su interesante composición y unidad, su gran belleza, sus movimientos perfectos y sincronizados con el resto del sistema solar (de traslación y rotación), sus maravillas naturales y únicas, y sí además pensamos en todo el universo, todo esto nos permite observar el gran poder de nuestro Dios, lo que nos deja maravillados, por esa grandeza y majestad nos cuesta trabajo comprender y asimilar las grandezas del tercer cielo.

El apóstol Pablo en la Segunda Carta a los Corintios (Capítulo doce) nos dice que él fue llevado (arrebatado) al tercer cielo, puntualmente al paraíso (región o espacio donde pudo escuchar palabras inefables que no puede el hombre expresar). 1 Corintios 12:1-5.

Las Sagradas Escrituras nos permiten ver en parte la dinámica de vida en el tercer cielo (nos habla del ambiente, la gran diversidad de seres angelicales, los seres redimidos, la ciudad celestial, etc), pero desde Génesis 1:1 la historia bíblica se enfoca en nuestro planeta, donde se desarrolla el plan de salvación y la revelación del Señor para la humanidad.

Según Génesis 1 la tierra estaba desordenada y vacía. Ante toda ésta circunstancia el Señor empieza a reacomodar y preparar el espacio para el ser humano.

Es muy interesante ver que aunque la tierra se encontraba en un estado de caos y tinieblas, el Señor empezó a transformar la situación, así es nuestro buen Dios, él transforma las cosas y vuelve a traer orden a cada una de nuestras vidas.

La Biblia nos enseña que el Espíritu de Dios se movía sobre las aguas: "Y la tierra estaba desordenada y vacía, y las tinieblas estaban sobre la faz del abismo, y el Espíritu de Dios se movía sobre la faz de las aguas. Y dijo Dios: Sea la luz; y fue la luz" Génesis 1:2-3.

Debemos considerar en primer lugar la condición de nuestro planeta a la luz del texto de hoy. Nos dice la Escritura que la tierra estaba: "desordenada y vacía" estos términos desde el idioma hebreo también significan: "desolada y sin orden".

En otras versiones bíblicas encontramos por ejemplo: N.V.I. "la tierra era un caos total, las tinieblas cubrían el abismo" y la versión D.H.H. "la tierra no tenía entonces ninguna forma, todo era un mar profundo cubierto de oscuridad".

Todo esto nos permite ver a una tierra en desorden o ausencia de orden. También vemos desolación y soledad. Hay tinieblas. Tengamos en cuenta que el abismo en hebreo hace referencia a la masa de agua o aguas profundas, indica fuente de aguas subterráneas.

Como podemos ver la imagen del planeta tierra a la luz de éstas palabras era oscura, sin árboles, revestida de grandes masas de agua, y sin seres que la habiten.

Algunos eruditos de la Escritura concluyen que esta condición se originó en el "diluvio luciferino" (exponen que esto es fue el juicio divino por la rebelión del diablo y sus ángeles, cuando fueron expulsados del cielo), lo que provocó el desorden y caos en la tierra que el Señor había creado.

Sea cual sea la razón de la condición de la tierra según el versículo 2 (la obra satánica o una fase en el proceso de la creación divina), vemos en éste escenario que Dios comienza a intervenir para establecer su orden, su voluntad y naturaleza, para restauración y preparación del escenario donde será creado y establecido el hombre.

Factores fundamentales en la creación:

Es muy importante que veamos aquí los agentes de restauración en la tierra que la Biblia nos revela, pues Dios no cambia, él sigue siendo el mismo:

1. El Espíritu de Dios, Génesis 1:2b

"y el Espíritu de Dios se movía sobre las aguas".

La frase "Se movía" se traduce del término hebreo "rakjaf", que significa además: empollar, revolotear, moverse.

Implica la acción de un ave cuando cubre y calienta los huevos de los futuros polluelos.

Nos habla de la acción del Espíritu Santo preparando el escenario y organizando el ambiente de la acción de Dios; esto nos recuerda que también el Espíritu Santo vino sobre María antes de nacer Jesús de Nazaret, y también vino sobre nosotros para nacer de nuevo en Cristo. Definitivamente es el Espíritu de Vida.

2. La poderosa Palabra de Dios, Génesis 1:3a "Y dijo Dios".

Las Sagradas Escrituras nos enseñan que la palabra del Señor es viva y eficaz; también nos dice que somos renacidos por la palabra del Señor que vive y permanece por todos los siglos; es una palabra que da vida; es nuestro alimento, es decir nutre nuestra vida espiritual.

Es muy interesante, ver que cuando el profeta Ezequiel observa el valle de los huesos secos, el Señor le dijo: "profetiza y di: Huesos secos, oíd palabra de Jehová, así ha dicho Jehová el Señor: He aquí yo hago entrar espíritu en vosotros, y viviréis". Es una maravilla ver la obra poderosa y eterna que en conjunto desarrollan el Espíritu Santo y la Palabra del Señor.

La palabra de Dios corrige e ilumina nuestras decisiones, es aquella que nos alimenta y edifica; por tanto debemos bendecir y amar esa maravillosa palabra. Por eso vemos también que el salmista dijo: “Lámpara es a mis pies su palabra, y lumbrera a mi camino”, es la palabra de Dios la que nos lleva a tomar decisiones correctas.

3. La luz primera. Génesis 1:3b “sea la luz, y fue la luz”.

Es la primera luz sobre la faz de tierra, ya que la luz de las estrellas y del mismo sol, viene a aparecer en el cuarto día de la creación, según Génesis 1:14-19

“Dijo luego Dios: Haya lumbreras en la expansión de los cielos para separar el día de la noche… y para alumbrar sobre la tierra. Hizo Dios la lumbrera mayor para el día y la lumbrera menor para la noche, hizo también las estrellas… Y fue la tarde y la mañana del día cuarto”.

La luz del Señor difiere de la luz del sol o de las estrellas, también es diferente a la artificial o a la demoniaca, ya que ésta luz de Dios no sólo ilumina, también resplandece haciendo que las tinieblas retrocedan; además no solo permite ver, también trae revelación, luz para discernir, es decir, nos permite comprender las grandes verdades de Dios.

Es el Señor quien trae orden de verdad a cada vida, es él quien realmente restaura y trae Su luz, la cual nos ayuda a comprender sus designios y caminos, y nos da la capacidad para observar y alcanzar lo que él ha diseñado para cada uno de sus hijos.

En respuesta a la palabra que Dios pronunció aparece la luz, ésta es la luz de Dios mismo que resplandece. El Señor Jesús dijo: "yo soy la luz del mundo", es Su luz la que necesitamos cada día de nuestra vida, ante ésta luz las tinieblas son esparcidas, los poderes demoniacos retroceden, es ésta luz la que saca a los prisioneros de los oscuros calabozos de la aflicción y la muerte, es la luz que brilló para salvación de los hombres.

Textualmente Jesús dijo: "Yo soy la luz del mundo; el que me sigue, no andará en tinieblas, sino que tendrá la luz de la vida" Juan 8:12. Entonces, podemos pensar en que esa primera luz que resplandeció fue la del Señor Jesucristo.

Definiendo los términos: creación y formación.

Nos dice la Biblia en Isaías 43:1 "Ahora, así dice Jehová, Creador tuyo, oh Jacob, y Formador tuyo, oh Israel: No temas, porque yo te redimí; te puse nombre, mío eres tú".

Comentario: El Profeta Isaías nos enseña el uso de las dos palabras: creación, traducción de la palabra hebrea "bara" y es un verbo que expresa creación de la nada y en las Sagradas Escrituras se usa sólo para el Señor, este término ("bara") sólo se usa en la Biblia cuando el sujeto es Dios;

y formación, traducción del término hebreo "yatsár" y significa además: moldear, "Yatsar" es un término técnico de alfarería y se usa a menudo en relación con la labor del alfarero.

El vocablo se usa a veces con el significado general de «artesanía o manualidad», incluyendo molduras, tallados, esculturas y fundición, hablamos de un proceso sistemático que concluye en un resultado diseñado de antemano por el alfarero. Lo cual nos habla de la obra de Dios en cada uno de nosotros.

Dios es nuestro creador y formador (es decir, él nos hace y nos moldea), nos dice el libro del profeta Isaías 44:21

"Acuérdate de estas cosas, oh Jacob, e Israel, porque mi siervo eres. Yo te formé, siervo mío eres tú; Israel, no me olvides".

Una vez más el Señor nos recuerda que somos de él por cuanto nos creó y nos salvó. Con su gran amor y poder, no sólo nos cuida, sino que cada día con su mano poderosa nos da la forma que él quiere de acuerdo a su plan o propósito. Por toda esa cuidadosa y paciente labor debemos cuidarnos de no olvidar todos sus beneficios.

Elohim, en el principio de todas las cosas:

En Genesis 1:1, la Biblia para mencionar a Dios usa en el idioma hebreo bíblico el término "Elohim", es decir: "En el principio creó Dios (*Elohim*) los cielos y la tierra".

La palabra "Elohim" se traduce en nuestras versiones bíblicas como "Dios" en un número gramatical singular, pero esta palabra en el idioma hebreo se traduce en plural, Elohim viene ser el plural de Dios (Diccionario Strong: dioses, en el sentido ordinario de la palabra).

De esta manera, lo que estamos viendo aquí, es la manifestación escrita que nos enseña que la Trinidad estaba presente y gestionando la labor creadora del universo.

Esto es el testimonio de la acción de la Trinidad en éste gran proyecto. El Padre, el Hijo y el Espíritu Santo, participaron activamente en el diseño y constitución de todas las partes que vinieron a conformar ésta hermosa y sin igual creación.

La antigua y extensa batalla de las simientes:

No podemos ignorar o ser indiferentes a la realidad del conflicto espiritual que vivimos. La serpiente aborrece la simiente de la mujer. Intentó dañar ésta simiente desde la generación antediluviana, intentó matar a los varoncitos hebreos que nacían en Egipto, promovió la matanza de los niños en tiempos del rey Herodes, y en Apocalipsis doce vemos al dragón persiguiendo a la mujer que había dado a luz al hijo varón.

Pero, la misma Escritura nos enseña que Cristo es la simiente de Dios, con la cual cada cristiano puede vencer los poderes de las tinieblas, como él venció. Textualmente dice la Biblia que Dios habló diciendo:

"Y pondré enemistad entre ti y la mujer, y entre tu simiente y la simiente suya; ésta te herirá en la cabeza, y tú le herirás en el calcañar." Génesis 3:15.

En éste versículo podemos considerar varios aspectos de gran importancia:

El término "enemistad" se traduce de la palabra hebrea "Eibá" que además quiere decir: hostilidad, su raíz implica: odio; enemigo. La palabra denota una lucha o combate mortal (lucha entre la serpiente y la iglesia, lucha que expone el apóstol Pablo en Efesios seis).

Podemos ver entonces, que las amigas (Eva y la serpiente) terminaron siendo enemigas, porque la amistad que lleva al pecado, sin duda alguna es enemiga, sólo es cuestión de tiempo para conocerle.

La simiente de la mujer: hace referencia a Cristo, y a los hijos de Dios (simiente significa: descendientes, posteridad, generaciones). Dios ha equipado a sus hijos para caminar en victoria sobre la serpiente, figura del diablo y sus ángeles.

La simiente de la serpiente. Estos son:

Sus ángeles (quienes serán lanzados "al fuego eterno preparado para el diablo y sus ángeles", tienen su misma genética).

El anticristo (así como Cristo es la simiente del Padre, el anticristo es la simiente de la serpiente).

Debemos tener recordar aquí que el Señor Jesús dijo a los escribas y fariseos: "Vosotros sois de vuestro padre el diablo, y los deseos de vuestro padre queréis hacer... Cuando habla mentira, de suyo habla; porque es mentiroso, y padre de mentira", Juan 8:44.

También nos dice la Biblia: "En esto se manifiestan los hijos de Dios, y los hijos del diablo: todo aquel que no hace justicia, y que no ama a su hermano, no es de Dios", 1 Jn. 3:10.

La herida en la cabeza y la herida en el talón.

La herida en la cabeza es mortal, y fue el golpe que el Señor Jesús le asestó al diablo en la cruz. La herida en el calcañar hace referencia al dolor causado a Jesús en su padecimiento antes de morir.

También habla la Biblia del dolor que padecería la mujer al dar a luz los hijos, Génesis 3:16 "Multiplicaré en gran manera los dolores en tus preñeces; con dolor darás a luz los hijos...".

Recordemos aquí que María concibió por el poder del Espíritu Santo ("Estando desposada María su madre con José, antes que se juntasen, se halló que había concebido del Espíritu Santo", Mateo 1:18), y de ella nace el Hijo: Jesús de Nazaret.

Pero, Adán engendró hijos e hijas, según Génesis 5:1-4 "Este es el libro de las generaciones de Adán... Y vivó Adán ciento treinta años, y engendró un hijo a su semejanza, conforma a su imagen, y llamó su nombre Set. Y fueron los días de Adán después que engendró a Set, ochocientos años, y engendró hijos e hijas. Y fueron todos los días que vivió Adán novecientos treinta años; y murió".

¿Cuál es la diferencia entre engendrar y concebir? "Engendrar" viene de "in + generare" que significa: "introducir el elemento generador en"; en cierta manera es: "sembrar", "implantar", y "concebir" viene de "cum + capio" que significa "Captar", "coger", "capturar".

Entonces, el hombre da, aporta, siembra; y la mujer toma, recibe. El hombre engendra, y la mujer concibe y da a luz. Que hermoso, es ver como Dios diseñó a cada uno para cumplir con un plan divino, por eso el matrimonio es un complemento, no es un problema. Así, como los hijos son una bendición de Dios.

Cristo es el postrer adán, y Eva es figura de la iglesia, 1 Corintios 15:45-47.

"Así también está escrito: Fue hecho el primer hombre Adán alma viviente; el postrer Adán, espíritu vivificante... El primer hombre es de la tierra, terrenal; el segundo hombre, que es el Señor, es del cielo".

El postrer Adán es Cristo, él vive en el creyente, y como tal, el cristiano dará a luz hijos para Dios. El contexto de la multiplicación que es la voluntad de Dios desde el comienzo, se da en la intimidad, y en el marco de la enemistad con la serpiente.

A Adán le dijo: "Fructificad y multiplicaos; llenad la tierra, y sojuzgadla", y a nosotros hoy nos dice: "y haced discípulos a todas las naciones", su plan no ha cambiado, él uso la matriz de Eva, hoy quiere usar su cuerpo, es decir, la Iglesia para dar a luz muchos hijos para Dios.

Eva sale de una costilla de Adán, y Cristo es también herido en su costado, Juan 19:34 “Pero uno de los soldados le abrió el costado con una lanza, y al instante salió sangre y agua”.

Ambos, el primer y postrer Adán, experimentan la misma vivencia en pro de su novia: “Una herida en su costado”, Adán en pro de Eva y Cristo en pro de su Iglesia: la novia del Cordero. Eva viene a ser figura de la Iglesia, así como la unión de Adán y Eva, es figura de las bodas del Cordero.

Batalla en las regiones celestiales.

Definiendo las regiones celestes, Efesios 6:12.

“Porque no tenemos lucha contra sangre y carne, sino contra principados, contra potestades, contra los gobernadores de las tinieblas de este siglo, contra huestes espirituales de maldad en las regiones celestes”.

Cuando hablamos de las regiones celestes o celestiales, nos referimos al “Ámbito espiritual, morada o espacio de los espíritus, dónde se desarrolla la batalla espiritual y se determina la vida natural, pues su relación es directa".

La Carta a los Efesios es la carta que más nos revela y concientiza acerca de los lugares celestiales, y nos enseña que allí estamos sentados juntamente con Cristo (es una posición de autoridad, como ejemplo podemos tener presente que los reyes y jueces se sientan para juzgar), y que allí se libra la batalla espiritual, otras citas donde aparece la frase "lugares celestiales" son Efesios 1:3, 20; 2:6; 3:10, 6:12.

La actitud de satanás es de continua rebelión (ayer en el reino de Dios, hoy en las regiones celestes y mañana como anticristo en la tierra).

La armadura de Dios, Efesios 6:13.

"Tomad toda la armadura de Dios, para que podáis resistir en el día malo, y habiendo acabado todo, estar firmes".

Composición y explicación histórica: La mayoría de interpretaciones de éste pasaje, nos hacen pensar en la armadura del soldado romano, completamente equipado para la batalla. Veamos brevemente las partes que la componen, Efesios 6:14-17:

El cinto de la verdad: cinturón que sostenía la túnica en su lugar y de donde colgaba la vaina de la espada. Ésta verdad debe considerarse en dos perspectivas: Cristo como verdad salvadora, y la verdad como integridad del soldado.

La coraza de justicia: protegía los órganos vitales de la región torácica. La justicia es la coraza del cristiano, y es la justicia de Dios asignada al hombre por su fe en Cristo, y la justicia como rectitud moral del creyente.

Las sandalias del evangelio: protegían los pies, y proporcionaban agilidad y seguridad. Apresto significa disposición, las sandalias nos hablan de caminar, avanzar compartiendo el evangelio de la paz por todo camino por dónde vamos.

El escudo de la fe: escudo grande y largo que protegía todo el cuerpo del soldado. Los dardos de fuego eran flechas untadas con brea que eran lanzadas encendidas contra el enemigo. El escudo de la fe se refiere pues a una confianza segura en Dios y su poder, que sostendrá al creyente ante los ataques de las tinieblas.

El yelmo de la salvación: casco que protegía la cabeza del soldado. Es la conciencia de la salvación y la protección que la misma brinda.

La espada del Espíritu: arma que cargaba el soldado para la lucha cuerpo a cuerpo. Dice el texto que es la Palabra de Dios, el término "palabra" es traducido del griego: "rhema" que indica una palabra dada por Dios, que debe ser usada con destreza por el creyente, como lo hizo Jesús cuando fue tentado en el desierto, él venció al diablo diciendo "escrito está".

Es interesante que la Biblia la llama: "la armadura de Dios", es la armadura que Dios provee a los suyos. No es algo natural, es espiritual. El versículo dieciocho está unido a todo lo anterior, por eso dice: "orando en todo tiempo".

Además de mantener vestido de su armadura, el soldado debe permanecer vigilante y fortalecido. De la misma manera el creyente no debe descuidar su comunión permanente con Dios.

Estructura espiritual del reino de las tinieblas, Efesios 6:12.

"Porque no tenemos lucha contra carne ni sangre, sino contra <u>principados</u>, contra <u>potestades</u>, contra los <u>gobernadores de las tinieblas</u> de este siglo, contra <u>huestes espirituales de maldad</u> en las regiones celestes".

Efesios 6:12 nos describe en detalle una estructura espiritual demoníaca, un orden y Jesús también dijo: "Si el reino de la tinieblas está dividido, como permanecerá".

Satanás cae, y crea un reino de muerte y tinieblas, procurando imitar la estructura del Reino de Dios, que él conoció.

Significado y función de cada una de las partes de la estructura:

Principados, término traducido de la palabra griega "Arque" que además significa: primero, príncipe, magistrado, dominio, punto de comienzo (son los seres de más alto rango y orden en el reino satánico).

En Daniel 10:12-13 se muestra el gobierno satánico a través del principado (espiritual) de Persia, que gobernaba, cubría o ejercía su dominio sobre una gran extensión, desde el nororiente de África, Europa y buena parte de Asia. Los principados satánicos afligen continentes enteros.

Potestades, Término traducido de la palabra griega "Exousía" que además significa: autoridad, facultad, poder gubernamental, implica autoridad delegada (aquellos que reciben poder o hacen la voluntad de los jefes gobernantes).

Gobernadores de las tinieblas, expresión traducida del término griego "kosmokrátor" que significa además: gobernador de éste mundo, en la literatura griega "señor del mundo". Desde su ámbito de maldad y pecado, gobiernan e influencian nuestro mundo.

Huestes de maldad: Huestes angelicales, no físicas, poderes sobrenaturales, inferiores a Dios, cuya naturaleza es promover la maldad (Huestes de maldad es una traducción del término griego "poneros" que significa también: depravación, perversión, pecado).

El Señor Jesús nos revela la estructura y orden del reino satánico, a su vez nos revela la armadura y estrategias para caminar en victoria, victoria que ya obtuvo en la cruz del calvario.

Esperamos que este libro haya sido de tu agrado y edificación.

Te invitamos a conocer otros textos publicados por el mismo seminario, aquí en:

Seminario Vida Nueva

Made in United States
Orlando, FL
14 November 2024

53880969R00083